PAULO VIEIRA, PHD
DEIBSON SILVA

DECIFRE
E INFLUENCIE
PESSOAS

Diretora
Rosely Boschini

Gerente Editorial
Rosângela de Araujo Pinheiro Barbosa

Assistente Editorial
Franciane Batagin Ribeiro

Analista de Produção Editorial
Karina Groschitz

Controle de Produção
Fábio Esteves

Jornalistas Equipe Febracis
Gabriela Alencar, Iane Parente, Verônica de Souza Silva e Karoline Rodrigues

Projeto gráfico
Know-How Editorial

Diagramação
Romério Damascena

Revisão
Lígia Alves

Imagens de Miolo
Alto Criativo

Capa
Rafael Brum

Imagem de Capa
wildpixel/itSock by Getty Images

Impressão
Edições Loyola

Copyright © 2018 by Paulo Vieira e Deibson Silva

Todos os direitos desta edição são reservados à Editora Gente.
Rua Original, 141/143 – Sumarezinho
São Paulo, SP – CEP 05435-050
Telefone: (11) 3670-2500
Site: www.editoragente.com.br
E-mail: gente@editoragente.com.br

Dados Internacionais de Catalogação na Publicação (CIP)
Angélica Ilacqua CRB-8/7057

Vieira, Paulo
Decifre e influencie pessoas : como conhecer a si e aos outros, gerar conexões poderosas e obter resultados extraordinários / Paulo Vieira e Deibson Silva. -- São Paulo : Editora Gente, 2018.

Bibliografia
ISBN 978-85-452-0251-6

1. Relações humanas 2. Comportamento 3. Autoconhecimento 4. Sucesso 5. Sucesso nos negócios I. Título II. Silva, Deibson

18-0935   CDD 650.1

Índices para catálogo sistemático:
1. Sucesso nos negócios

DEDICATÓRIA

Sempre relembro que, até os meus 30 anos, grande parte dos meus problemas – privações financeiras e limitações – foi causada por eu não conhecer o meu perfil comportamental. Nessa época, eu não entendia minhas habilidades e possibilidades profissionais e, por isso, errei muito. Errei exatamente pelo fato de não reconhecer a minha essência e também por não entender as pessoas que estavam ao meu redor; fiz coisas e implementei coisas que fugiam da minha capacidade, coisas que eu não tinha habilidade para realizar.

Por isso dedico este livro primeiramente às pessoas que estão buscando atingir o seu melhor desempenho. Talvez por falta de conhecimento, ainda não se tornaram tudo que podem ser, mas saibam que é possível a todo momento aprender mais na jornada em busca do nosso máximo potencial. Todos que estão nessa busca do crescimento são capazes, não duvidem disso!

Dedico, ainda, a todos os nossos clientes. Graças a eles nós tivemos uma base de estudos, um banco de dados gigantesco abastecido mês a mês, que nos possibilitou estudar e aprender para produzir o conteúdo deste livro.

Aos funcionários e parceiros da Febracis, por quem tenho imenso respeito e gratidão, pois graças a eles a empresa se tornou a maior instituição de coaching do mundo, com mais de 30 unidades no Brasil e no exterior: Estados Unidos (Orlando e Boston), Angola (Luanda) e, recentemente, Portugal. Sem eles, nada disso seria possível.

Também não posso deixar de lado os grandes teóricos William Moulton Marston, Carl Gustav Jung e Eduard Spranger, pois suas obras *As emoções das pessoas normais*, *Tipos psicológicos* e

Tipos de pessoas, respectivamente, serviram de base principal para todo o nosso trabalho.

Por fim, dedico este livro a Deus. Meu Senhor e meu Salvador, aquele que me conduz. A Ele pertence toda a sabedoria, todo o conhecimento. Dele provém tudo!

Paulo Vieira

Em 2012, vivi a dura experiência de ver meu negócio falir. Esse, posso dizer hoje, foi um dos maiores aprendizados da minha vida, pois graças a isso busquei entender profundamente como funciona o comportamento humano com o objetivo de tornar clara e efetiva a comunicação dentro das empresas, assim como ajudar famílias, casais e qualquer pessoa que enfrente desafios para ter relacionamentos saudáveis e harmônicos. Nesse intuito, em 2013, comecei a desenvolver pesquisas que deram origem ao mais completo software de análise de perfil comportamental que existe hoje no mercado. Todo o conhecimento obtido nessas pesquisas e estudos trago para você, leitor, que hoje me dá a honra de juntar-se à comunidade das pessoas que se transformam e transformam o mundo por meio do autoconhecimento.

Diante disso, agradeço em primeiro lugar ao Criador, por ter me dado o dom da vida. Agradeço ainda à minha esposa, Ana Kelly, companheira que sempre se manteve ao meu lado, desde os nossos 18 anos, superando cada obstáculo. Sou muito feliz por tê-la ao meu lado! Obrigada por fazer parte da minha vida e por ter me presenteado com meus bens mais preciosos: Sophia e Davi, a quem também dedico este livro. Sinto-me muito orgulhoso em poder deixar esse legado para os meus filhos.

Agradeço, ainda, à minha mãezinha Alexandrina e meu paizinho Germano, meus avós, que cuidaram de mim desde o momento em que nasci e por quem sinto um amor incondicional, mesmo depois de suas partidas. Sinto por não os ter aqui neste momento tão especial, mas sei que estão olhando sempre por mim, acompanhando cada etapa da minha jornada.

Também merece ser lembrada minha mãe Eliene, o grande modelo educacional que tenho na vida e que me proporcionou todas as condições de uma boa educação. E, acima de tudo, foi a grande inspiração profissional para tornar-me educador. Este livro é também em sua homenagem.

Cleide e José Maria, obrigado por terem me dado a vida. Meu pais queridos, é uma grande satisfação para mim deixá-los orgulhosos com a realização de mais um sonho, assim como todos os meus irmãos, por quem tenho um carinho enorme, em especial Pedro Iarley, o primeiro a acreditar e investir nos meus sonhos.

Foram muitos dias e noites de dedicação junto ao meu grande amigo e sócio Paulo Vieira para trazermos esta obra à vida. Minha gratidão por todo o apoio que recebi do meu mestre não cabem em palavras. Também agradeço imensamente à sua esposa, Camila Saraiva, nossa sócia. Paulo e Camila, vocês são amigos muito queridos e me deram o grande presente de integrar a Família Febracis. Nessa empresa, encontrei uma segunda casa, e o que sinto por todos os diretores, colaboradores e alunos dessa organização só pode ser definido pela palavra amor.

Deibson Silva

SUMÁRIO

Introdução
Por que precisamos aprender a lidar com pessoas?   9

Capítulo 1
Autoconhecimento: a chave para lidar com pessoas   29

Capítulo 2
Os fatores básicos do comportamento humano:
como as pessoas pensam, agem e interagem   63

Capítulo 3
Os Tipos Psicológicos   123

Capítulo 4
Crenças e valores   151

Capítulo 5
O comportamento nas organizações   185

Referências bibliográficas   224

INTRODUÇÃO
POR QUE PRECISAMOS APRENDER A LIDAR COM PESSOAS?

Se todos nós soubéssemos lidar com as outras pessoas, a nossa vida seria bem mais fácil. Os casamentos seriam mais felizes, não haveria brigas entre irmãos, os times de trabalho seriam mais harmoniosos e mais produtivos, você não teria problemas com seus superiores, nem com seus subordinados, e seria muito mais fácil alcançar os resultados que tanto sonha.

O fato é que todos nós temos algum motivo pelo qual queremos descobrir e entender quais são os mecanismos que motivam os indivíduos a agirem como agem e a fazerem o que fazem. A verdade é que a maior parte das pessoas está perdida, não sabe como gerenciar aqueles que estão sob sua liderança, nem como lidar com as pessoas mais próximas.

Você já se pegou com a sensação de que não conhece bem alguém que convive o dia inteiro com você? Em várias esferas da vida, algumas pessoas não costumam ser elas mesmas:

- ▶ Alguns filhos só se mostram de verdade longe dos pais.
- ▶ Muitos funcionários só são eles mesmos quando estão fora do ambiente de trabalho.
- ▶ Há até cônjuges que não conseguem comportar-se naturalmente ao lado dos parceiros com quem escolheram dividir a própria vida!

E o pior é que tudo isso nos impede de exercer nossos papéis da melhor maneira, seja o papel de líder, empresário, pai, mãe, marido ou esposa. Por exemplo, quando um gestor conhece bem o seu funcionário a ponto de ter identificado que ele é reservado e calado, ele sabe que uma conversa em privado vai funcionar muito melhor do que um bate-papo em equipe. Mas, quando ele não conhece o funcionário, pode acabar exigindo um comportamento com o qual o colaborador não se sente à vontade.

Ou pior: exige comportamentos para os quais essa mesma pessoa não está sequer preparada tecnicamente, mas acaba tendo de obedecer, sob o risco de perder o emprego. É claro que na maior parte das vezes os resultados obtidos não são satisfatórios, e a frustração é mútua entre chefia e funcionário.

Se você quer realmente saber o que uma pessoa pensa ou sente, olhe em seus olhos, observe seu comportamento, tente compreender o seu gestual. Quase sempre, é através desses sinais que alguém expressa concordância ou discordância com algum assunto e optamos por não entender o que o comportamento da pessoa diz. Queremos então que ela diga o que pensa, mesmo quando as palavras divergem da expressão corporal e dos gestos. O problema é que preferimos ouvir, em palavras, o que a pessoa está achando, se está ou não aprovando o que estamos fazendo.

Se a pessoa for um subordinado seu, por exemplo, e não tiver confiança suficiente para expressar com sinceridade o que pensa, será que ela realmente expressa seus pontos de vista com franqueza? Não tenha dúvida: se ela não se sentir confortável não vai falar nada ou vai apenas manifestar o que você quer que ela diga.

Praticamente todas as pessoas expressam sentimentos, afetos e desconfortos por meio do comportamento e da comunicação não verbal (o gestual). E isso quase sempre independe do que elas estão dizendo. Apenas os indivíduos treinados conseguem controlar a espontaneidade de seus movimentos. Mas estes estão em muito menor número. De modo geral, somos iludidos pela fala das pessoas.

Por que fazemos isso?

Primeiramente sabemos que a pessoa não terá coragem de dizer o que pensa. Seja porque lhe falta confiança ou porque tem medo de dizer. E a segunda razão é porque, assim como todos nós, prefere sempre ouvir aquilo que lhe favorece ou converge com o que pensa. E isso é muito mais agradável que a dura verdade das coisas. Evidentemente isso ocorre de maneira inconsciente. Tanto para quem fala como para quem quer ouvir.

Lidar com pessoas não é uma tarefa fácil. Como se costuma dizer, dá trabalho e exige conhecimentos e competências que nem sempre temos disponíveis ou estamos preparados para usar. No entanto, não podemos fugir disso, já que estamos predestinados a não só caminhar junto com indivíduos diferentes, mas também a compartilhar nossos projetos e realizações.

Nosso maior desafio é conseguir estabelecer relações harmoniosas com os outros, compreendendo seus comportamentos e ajudando-os a encontrar espaço e oportunidades para que possam crescer e se desenvolver. E precisamos fazer isso de modo que eles nos ajudem a alcançar nossos objetivos, compartilhando talentos e conhecimentos, e realizando-se plenamente. Como dissemos, não é fácil. Se queremos ter sucesso em nossas vidas e empreendimentos, precisamos encarar o desafio!

Este livro é para quem deseja ter o mais profundo autoconhecimento, compreender quais são os padrões comportamentais, os medos e as motivações que movem as pessoas. Aqui, você aprenderá não só a decifrar os outros, pois o primeiro passo dessa jornada começa com a compreensão de si mesmo. Somente após obter clareza e consciência de quem você verdadeiramente é, será possível partir para o entendimento dos outros.

Nas próximas páginas, você saberá o que deve fazer para aprimorar seus relacionamentos profissionais, sociais e familiares. O conhecimento que traremos aqui é a chave para extrair o melhor tanto de si mesmo quanto das pessoas que fazem parte da sua vida.

> *Nosso maior desafio é conseguir estabelecer relações harmoniosas com os outros, compreendendo seus comportamentos e ajudando-os a encontrar espaço e oportunidades para que possam crescer e se desenvolver.*

Um grande obstáculo para o convívio harmônico e produtivo está no fato de desprezarmos as características que nos distinguem uns dos outros. Em geral, tratamos os outros como se pensassem e agissem como nós. Ou como gostaríamos que agissem. Se isso fosse possível, nossas relações interpessoais seriam bem mais fáceis, até porque seriam bastante previsíveis. No entanto, só isso não garante que seriam melhores.

Afinal, em um mundo onde os sonhos, os desejos e a maneira de pensar e agir fossem os mesmos para todos, que motivação teríamos para viver e superar novos desafios?

O fato é que, ainda que o mundo seja o mesmo para todos, cada indivíduo o pensa e o vê de modo único e específico, de acordo com os próprios interesses e paradigmas. Isso faz com que nossa tarefa se agigante, pois temos de juntar nossas diferenças, preservando a individualidade de cada um, e sem perder de vista o bem de todos. Tudo isso em prol da realização dos interesses coletivos, do alcance de nossas metas e objetivos comuns.

Não é tão difícil quanto parece. Pense num empreendimento internacional, tocado por diferentes países, com interesses e conceitos diversos, tendo de superar o desafio de trabalhar com estrangeiros, com diferentes culturas, língua e modos de pensar. Seria uma espécie de torre de Babel! Imagine então fazer algo parecido com isso no espaço! Seria possível?

Isso aconteceu na exploração espacial, que há muito deixou de ser uma disputa entre Estados Unidos e Rússia. Desde o fim da chamada "guerra fria" (final dos anos 1970), e com a restrição de orçamentos de ambos os países, o que antes era uma disputa bilateral passou a ser um projeto coletivo envolvendo agências espaciais de vários continentes, com destaque para países da União Europeia, além de China, Índia, Japão e Brasil – entre tantos outros. O objetivo a ser alcançado – e que antes se restringia a um duelo entre potências atômicas – passou a ser a exploração comum do espaço para obter benefícios para toda a humanidade. Com a união de diferentes nações, aumentaram-se os recursos – financeiros, inclusive –, a expertise envolvida, a amplitude do empreendimento, compartilhamento e, de maneira clara, o interesse mundial no êxito do projeto.

Esse é um grande exemplo, não há dúvidas. Mas uma série de outros empreendimentos, na mesma linha, vem ocorrendo de muitas formas. O conflito de ideias e opiniões não é novo na trajetória da humanidade. Ao longo de sua evolução, homens e mulheres, em diferentes grupos sociais, sempre discordaram sobre as melhores maneiras de se fazer algo – o que incluía, no passado, por exemplo, métodos de caça mais eficazes a estratégias decisivas para se conquistar o terreno do inimigo. Em muitos sentidos, foram justamente esses desencontros e oposições àquilo que parecia unânime que fizeram com que a humanidade avançasse em sua história.

Nesse sentido, e dentro da proposta deste livro, é fundamental entender duas coisas: a primeira é que é possível crescer e se desenvolver mesmo entre pessoas que pensam diferente. As adversidades costumam ser ótimas oportunidades de transformação. Diferenças e divergências não se constituem necessariamente em obstáculos – se soubermos trabalhar com elas.

O segundo ponto, como iremos demonstrar nos próximos capítulos, é que precisamos reconhecer que cada ser humano tem peculiaridades que formam seu caráter e sua personalidade. São justamente esses aspectos que nos tornam únicos. Reconhecer isso é essencial para um convívio mais harmonioso com pessoas – sejam elas talentosas ou não, explosivas ou passivas. Qualquer uma delas, se estiver no lugar certo, brilhará. Do contrário, por mais talentosa que seja, terá de lutar muito para não ter seu talento sufocado.

É importante compreender que relacionar-se com pessoas não significa levar vantagem sobre elas. A ideia não é dominá-las, nem manipulá-las, para que atendam aos nossos desejos. Neste livro apresentaremos métodos e modelos que poderão ajudar você, leitor, a conviver melhor com as pessoas que o rodeiam, compreendendo-as e decifrando-as em todos os seus modos de expressão. E de modo que você possa proporcionar melhores condições para que elas mesmas realizem todo o potencial. E também para que possam ajudar você a realizar o seu.

A condição fundamental para isso é que você seja capaz de se compreender, conhecendo-se melhor e até mesmo se reinventando para que possa realizar seus projetos e sonhos. Não importa se você está em casa, na empresa ou no convívio com amigos. A única maneira de contribuir de modo efetivo para o desenvolvimento das pessoas que estão ao seu lado é a partir do próprio autoconhecimento. Quanto mais se conhece, mais você cresce e melhores condições tem de ajudar as pessoas à sua volta a crescer.

Os conceitos que apresentaremos neste livro poderão ser aplicados em qualquer situação ou em qualquer campo da vida, seja familiar, social ou profissional. E não importa quem são essas pessoas ou onde elas estejam. Afinal, é impossível dividir pessoas em seres profissionais, seres familiares, seres sociais etc., como se fossem "pedaços" de gente. Somos um pouco de tudo isso. E nós manifestamos esse todo de várias maneiras, a depender do lugar e dos interesses que estamos tratando. A questão é saber manejar toda essa diversidade, atuando de maneira adequada conforme as exigências e necessidades.

Até porque não faz sentido imaginar que podemos ser alguém das oito da manhã até às seis da tarde e de segunda à sexta-feira e, fora desses períodos, ser outro tipo de pessoa. Apesar de atuar em esferas distintas, o mesmo ser que trabalha de segunda à sexta-feira é também aquele que divide o seu tempo com a família, no papel de pai, mãe, irmão, filho etc., ou com os amigos num churrasco de domingo ou numa partida de futebol. Em diferentes momentos, essa pessoa tem um mesmo jeito de ver o mundo e de se relacionar com outros indivíduos. E isso é algo que acontece e se manifesta em diferentes cenários.

Por exemplo, em determinadas situações, ou de acordo com exigências externas, você ou qualquer pessoa tende a adaptar o seu comportamento para atender às necessidades do ambiente. Eu, Deibson, antes mesmo de me tornar pesquisador do comportamento humano, vivenciei uma experiência de atitudes opostas em minha família. Dentro de casa, meu pai sempre foi um homem sério, introspectivo e reservado, mas, durante uma visita que fiz à empresa em que ele trabalhava, percebi que seu comportamento era diferente naquele lugar, pois ele se mostrava mais dominante, comunicativo e firme. Isso não quer dizer que meu pai tivesse duas personalidades ou que fosse uma pessoa no trabalho e outra em casa. Na verdade, ele era a mesma pessoa em essência, mas percebia a necessidade de se adaptar a ambientes distintos. Perceber que podemos atuar em diferentes papéis nos permite trabalhar de modo mais harmônico e sintonizado com as pessoas. Do ponto de vista psicológico, é uma tremenda vantagem pessoal.

A única maneira de contribuir de modo efetivo para o desenvolvimento das pessoas que estão ao seu lado é a partir do próprio autoconhecimento.

Muitos podem dizer que o problema é que nem sempre existem oportunidades para que esses outros "eus" apareçam ou se manifestem de modo integral. Isso costuma acontecer porque em geral estamos presos a rótulos e buscando sempre atender a expectativas externas. Aliás, costumamos agir em relação aos outros esperando que eles se comportem de *determinado* jeito em certo ambiente, independentemente de suas características, seus interesses ou sua vontade.

Apesar de sermos a mesma pessoa em todas as situações, não precisamos transformar nossa casa numa extensão do nosso trabalho, e nem o nosso trabalho numa continuação do ambiente familiar. Em cada caso, podemos agir de acordo com as necessidades, sem abrir mão daquilo que somos em essência. Afinal, os conhecimentos e os aprendizados adquiridos ao longo da vida são bagagens que carregamos em todos os lugares, não importa aonde vamos.

Muitas vezes, a conversa que precisamos ter com um superior ou com um subordinado na empresa se assemelha a uma conversa delicada que precisamos ter com um filho ou uma filha que se tranca no quarto e não larga o celular. São momentos críticos, mas, se queremos ajudar o outro, são indispensáveis.

Perceba que aqui não estamos falando de produtividade, lucro, competência estratégica ou qualquer outro aspecto administrativo – ainda que tudo isso possa estar envolvido. Na verdade, estamos tratando de relações interpessoais, da possibilidade do convívio em harmonia, de compreensão e de apoio para que haja espaços de troca e de diálogo para um entendimento mútuo. Respeitando diferenças e modos divergentes de ver o mundo, a vida, as relações familiares e a empresa.

Sem dúvida, esse seria um cenário ideal. Um ambiente onde as pessoas se entendessem e atuassem proativamente na direção de suas conquistas. Mas isso ainda está longe da realidade de nossas vidas e empresas. De modo geral, o que mais prevalece são cenários e situações em que pouco consideramos as opiniões do outro, com raras oportunidades para alguma discordância. Vamos exemplificar isso com algumas situações:

- ▶ No âmbito familiar, as pessoas se fecham – não conversam entre si e se isolam.
- ▶ Na empresa, as disputas e a competição de egos atrapalham a entrega e a obtenção de bons resultados.

▶ Muitas vezes, por não compreendermos ou não aceitarmos uma crítica, rejeitamos oportunidades que poderiam nos trazer conhecimento e aprendizagem.

São situações bem comuns que emperram o nosso crescimento como seres humanos, e nos privam dos benefícios e contribuições que uma relação com diferentes pessoas poderia nos proporcionar. Apesar disso, perguntamos: será possível pensar num ambiente melhor, que favoreça situações harmoniosas e onde os conflitos sejam vistos e tratados não como embates, mas como oportunidades de crescimento mútuo? E de um jeito que todos possam caminhar juntos em busca de grandes objetivos?

Acreditamos que sim. Sobretudo porque temos visto e acompanhado situações em que prevalece esse clima mais agregador e otimista. Em que as pessoas contribuem para a construção de alternativas consistentes, compartilham suas conquistas e ajudam suas equipes a se desenvolver. Mesmo quando há divergências, elas ocorrem no intuito de se buscar sempre as melhores soluções e alternativas para todos. As pessoas se escutam, conversam, trocam impressões, admitem erros e esperam sempre o melhor das outras.

O que impede que situações como essas, agregadoras e favoráveis, prevaleçam em sua vida?

Será que, se aprendêssemos a ver e a ouvir melhor outras pessoas, compreendendo-as e percebendo suas dificuldades, nossa vida teria mais sentido? Pense em suas relações pessoais ou na vida familiar – será que seríamos mais felizes se percebêssemos os limites do outro? Ou se soubéssemos quando estamos sufocando o outro com as nossas ansiedades? Será que não haveria menos desentendimentos entre irmãos se pudéssemos aceitar com tranquilidade diferentes pontos de vista? E as equipes de trabalho, por exemplo: será que poderiam ser mais harmoniosas e produtivas se os seus membros deixassem seus egos e vaidades de lado e conversassem mais pensando no todo e não só no exclusivo "eu" *individual*?

Eu, Paulo Vieira, costumo sempre falar em minhas palestras sobre os prejuízos que a arrogância e a prepotência podem causar. Bem como a vaidade e a busca por atalhos.

Há três formas de uma pessoa crescer. A primeira é deixando de ser arrogante e prepotente. A segunda é deixando de ser vaidoso, querendo fazer as coisas apenas para se mostrar para os outros. E a terceira é parar de buscar e percorrer atalhos.

Muitos pensam que ser arrogante e prepotente é apenas ser grosseiro ou estúpido. Na verdade, esse tipo de pessoa simplesmente diz que não precisa dos outros, que não precisa de ajuda, e que se sente capaz de fazer tudo sozinha. Ser arrogante significa "arrogar para si", ou seja, chamar para si, querer fazer tudo sozinho. Isso é o mesmo que ser prepotente: querer ter acesso ao poder antes de estar devidamente preparado para ele (por isso, pré-"potente").

A primeira forma de crescimento é, portanto, o contrário da arrogância e da prepotência. É saber que você precisa de ajuda, que não vai chegar a nenhum lugar sozinho. Uma pessoa pode correr sozinha, mas não vai muito longe. O contrário de ser prepotente é se dispor a ler, conhecer, é pedir ajuda, é estar perto dos melhores, é ter a humildade de dizer "eu não sei", e querer aprender, querer estudar mais, se aplicar, se dispor a mudar, estar com as pessoas certas ao seu lado, ter mais flexibilidade para ser uma pessoa melhor a cada dia.

Releia, por favor, esse parágrafo e se pergunte se você se encaixa em alguma das características de uma pessoa arrogante e prepotente. O quanto dessa arrogância e prepotência pode criar barreiras para uma melhor interação com as pessoas? O quanto dessas características já pode tê-lo impedido de conquistar melhores resultados?

Escreva nas linhas abaixo quais fichas caíram ao ler o conceito de arrogância e prepotência.
_____
_____
_____

A segunda forma pela qual uma pessoa pode crescer é deixando de ser vaidosa. A vaidade consiste em viver para os outros. Vou dar um exemplo: há pessoas que têm um corpo bonito e saudável porque se motivaram pela busca da saúde e da autoimagem positiva. Mas há pessoas que têm um corpo malhado e bonito apenas para mostrar aos outros. Da mesma maneira, há quem ganhe dinheiro não para ter qualidade de vida, mas para mostrar para os outros o que é capaz de ter. Essas pessoas, com o tempo, perdem o controle, porque, quanto mais elas têm, mais elas querem mostrar aos outros que têm. Elas não vivem para si, mas para impressionar e se exibir. Por isso, elas não aceitam ser repreendidas, não aceitam falhar, não aceitam errar. E por isso mentem, para si mesmas inclusive. Quando as pessoas mentem e escondem suas falhas, elas não crescem. Uma pessoa vaidosa não cresce, não é capaz de se aprimorar. Por isso, nunca se envergonhe de ser quem você é!

Novamente, reflita se você possui alguma das características de uma pessoa vaidosa. Pense em todas as áreas da sua vida (financeira, profissional, emocional, saúde etc.). Você está mais preocupado com os outros do que consigo mesmo?

Escreva nas linhas abaixo quais aprendizados você teve ao ler o conceito de vaidade.

_____
_____
_____
_____

A terceira maneira de crescer é evitar os atalhos. Se um atalho fosse bom, ele seria um caminho. Há pessoas que buscam o meio mais fácil de ter sucesso, saúde, dinheiro. Se querem ter saúde, buscam um atalho: tomam anabolizantes, hormônios, ou fazem dietas absurdas e, consequentemente, adoecem, enfraquecem o espírito, perdem autoestima. Outros querem ficar rapidamente ricos, ter sucesso, e por isso se corrompem, mentem, enganam, subornam. A dica é uma só: fuja do atalho, qualquer que seja ele. Nada que vem de maneira fácil se sustenta por muito tempo.

> **Reflita:**
> Você está trocando atalhos por caminhos?
> Novamente, pedimos que leve atenção a todas as áreas da sua vida.

Escreva nas linhas abaixo quais aprendizados você teve ao ler o conceito de atalho.

_____
_____
_____

Não temos dúvida de que, se você souber tratar adequadamente outras pessoas, será muito mais fácil construir relacionamentos mais saudáveis e duráveis, ou alcançar melhores resultados para o seu negócio, a despeito de eventuais discordâncias com os seus superiores ou com os seus subordinados. Você poderá comprovar isso ao longo deste livro.

Temos certeza de que é possível melhorar a qualidade de nossas relações e obter resultados muito melhores com a participação de todos. Dizemos isso com base em nossos trabalhos, cursos e pesquisas feitos junto a mais de 400 mil pessoas. Comprovamos que a vida seria bem menos complicada e muito mais prazerosa se cada pessoa soubesse lidar melhor com personalidades diferentes, aceitando também suas próprias limitações e buscando reais alternativas para se desenvolverem.

Muitos pensam que o convívio harmonioso só poderá existir se eliminarmos a possibilidade do conflito. Essa é uma falsa questão, pois conflitos são necessários, e podem até ser benéficos. Eles nos tiram de nossa zona de conforto e nos ajudam a ver as coisas por ângulos diferentes. O difícil numa relação não é evitar o conflito – isso na verdade é até fácil. O mais complicado é refletir sobre as causas e consequências do conflito, e aceitar que ele faz parte da construção de uma solução.

Mas, afinal, o que é um conflito?

Um conflito é um embate de diferentes modos de olhar e pensar uma mesma coisa. É um processo natural, sobre o qual diferentes modos, meios e formas de ver e agir se manifestam. Se queremos avançar na solução de um problema, temos que admitir a necessidade do conflito. Isto é, discutir diferentes possibilidades de solução – em busca da mais adequada. Para isso, será necessário aceitar a manifestação de opiniões contrárias às nossas. Precisamos criar esse espaço em nossas relações.

É claro que não é tão simples. A questão muitas vezes é que não sabemos o que se passa com o outro. Como não podemos simplesmente eliminá-lo, como se estivéssemos em um jogo de videogame, nos vemos obrigados a calar ou a "engolir" o outro. E, com isso, ter de conviver a contragosto com ideias e comportamentos que não compreendemos nem aceitamos. Se soubéssemos por que certas pessoas agem de determinada maneira, por que fazem o que fazem, tudo se tornaria mais fácil!

A dificuldade é que não há uma bula ou um prontuário que nos conte a história e classifique uma pessoa de acordo com certos parâmetros. Como dizem, o ser humano não vem com manual de instruções. Se assim fosse, seria mágico. Na maior parte das vezes, as pessoas ficam perdidas, se frustram por não saberem como gerenciar aqueles que estão sob sua liderança. Ou, para aqueles que são liderados, por não saber como atender às determinações de seus chefes ou supervisores – sendo por isso descartadas ou preteridas em oportunidades que lhes seriam únicas na carreira.

O mesmo se passa na vida social ou familiar, até quando não há distinção hierárquica, e onde todos são, ao menos teoricamente, tratados como iguais, sem subordinação ou liderança alguma. Num clube de amigos ou no âmbito familiar, não se pode impor cargo, força ou prioridades hierárquicas, pois todos têm direito ao mesmo espaço e ao uso da voz. E, ainda assim, muitas vezes nos sentimos incompreendidos – ou não entendemos o porquê, a razão de alguém falar num determinado tom conosco, ou de fazer alguma coisa que nos magoe ou nos machuque.

"Não esperava isso de fulano"; "Não imaginava que ele fosse capaz disso"; e "Acho que nunca soube quem ele era de verdade" são frases ditas com frequência. Isso acontece e surpreende porque não só não escutamos como não percebemos adequadamente essa pessoa – seja um chefe, um subordinado, um amigo ou parente.

Você sabe que isso acontece em diferentes situações. E, apesar disso, sempre nos assustamos com essas coisas, quando temos de modo palpável aquela sensação de que, na verdade, não conhecíamos tão bem assim o outro, apesar do convívio diário de anos ou décadas. Por que será que isso acontece? Vamos dar uma pista: é fato que em certas situações algumas pessoas não costumam ser ou agir inteiramente do jeito como esperávamos ou gostaríamos que agissem. Isso porque elas vão agir de acordo com o que são e não segundo o que esperamos delas.

Quando, de modo arrogante, abrimos mão de acolher as diferenças e de compreender o outro, ficamos impedidos de exercer com competência todos os nossos papéis. Em muitas empresas, esse quadro é bastante comum.

Se soubéssemos por que certas pessoas agem de determinada maneira, por que fazem o que fazem, tudo se tornaria mais fácil!

Imagine dois profissionais: João e Pedro. Os dois possuem a mesma capacidade técnica, têm inteligência emocional desenvolvida – falaremos mais à frente sobre isso –, são compromissados e trabalham com ética e caráter. Porém, João tem um perfil mais voltado para relacionamentos com pessoas; é carismático e tem facilidade para falar e ouvir. Já Pedro, por sua vez, é um pouco mais reservado, dedicado a tarefas isoladas, atento a números, e está sempre buscando atingir metas mais desafiadoras. Pergunta: qual dos dois você, leitor, promoveria a coordenador do setor?

Veja que tanto João quanto Pedro possuem habilidades muito pertinentes para atuarem como líderes. A questão aqui é saber quais dessas habilidades são mais importantes para o cargo de coordenador. Se a empresa espera que esse profissional lide com planilhas, custos, regras, qualidade do produto, metas etc., o melhor candidato parece ser Pedro. Mas, se o papel do coordenador é motivar e inspirar a equipe, negociar, apaziguar conflitos e promover um bom clima organizacional, João provavelmente seria a pessoa mais indicada.

Mas o que aconteceria com a produtividade de João se ele tivesse de passar o dia inteiro lidando com números e planilhas? Ou será que Pedro se sentiria à vontade tendo de usar a maior parte do seu tempo motivando e lidando com pessoas?

É nesse ponto que precisamos entender o que significa decifrar pessoas: se o gerente de Pedro e João perceber qual o talento ou a competência de cada um deles, poderá direcioná-los para aquilo que realmente fazem bem, propiciando oportunidades para que cada um dê o melhor de si. É claro que isso só vai acontecer se o gestor estiver aberto e atento. Se, porém, ele não perceber isso, se não os conhecer o suficiente, correrá o risco de escolher a pessoa errada e prejudicar os resultados de um setor inteiro – além da carreira de cada um deles, incluindo o próprio gestor.

A mesma situação pode acontecer em sua casa. Quantas vezes você já viu pais colocarem os filhos um contra o outro por meio de comparações do tipo: "Veja como o seu irmão é organizado e obediente!" ou: "Por que você é tão desleixado e rebelde?". Quantas vezes você já viu e ouviu, até em escolas, alguém reclamar da criança que "conversa demais, parece que bebeu água de chocalho, não para quieta"? Ou criticar uma outra criança mais reservada com esta frase: "Por que não fala, menino? O gato comeu a sua língua?" – críticas que reprimem ainda mais o comportamento da criança.

Quantos casamentos foram e são destruídos pouco a pouco apenas porque o casal não conseguiu entender, nem trabalhar, as diferenças de personalidade e interesses, ambos cobrando um do outro e nenhum deles se dispondo a ver as coisas sob o ponto de vista do parceiro? Por exemplo, a esposa que gosta muito de sair, ir a festas, clubes e restaurantes se indispõe com o marido que é mais caseiro e prefere ficar em casa e assistir a filmes ou a uma partida de futebol. Se os dois não encontrarem um meio-termo, ou não compreenderem o outro e suas razões, um simples momento de lazer poderá se transformar em uma longa e desgastante discussão.

E por que isso ocorre? Porque, como já dissemos, muitas vezes queremos tratar o outro da forma como gostaríamos de ser tratados, mas esquecemos que cada pessoa tem características e motivações distintas. Ou, ainda, muitas vezes não conseguimos enxergar nada além do que pensamos, como se existisse apenas um único jeito de ver e fazer as coisas na vida e no mundo.

Há uma metáfora que nos ajuda a compreender melhor essa questão.

Havia um sábio na porta de entrada de uma cidade. Ao lado dele, um menino brincava de bola de gude. Nesse momento, chega um homem, com cerca de trinta anos de idade, com sua esposa e filhos, em uma carroça de mudança. E aborda o sábio, de modo meio grosseiro:

— Ei, quem é que mora aí nessa cidade? Diz pra mim!

E o sábio pergunta:

— Por que você quer saber?

— Estou deixando minha cidade e procurando um novo local para mim e minha família — diz o homem.

O sábio então pede a ele para descrever como era a cidade de onde vinha. E ele diz:

— Ah, a cidade era muito ruim, os homens eram uns canalhas, as mulheres não prestavam, as crianças eram mal-educadas, os pássaros sujavam em toda parte, nada dava certo lá, mas... eu não estou aqui para falar de onde eu vim, mas para saber como é esta cidade — insiste o homem. — Como é?

E o sábio responde:

— Parece que você está descrevendo nossa cidade. Aqui é igual. Também os homens são canalhas, as mulheres não prestam, as crianças são mal-educadas, os pássaros sujam em toda parte, nada dá certo.

— Se é igual ao lugar de onde eu vim, era melhor ter ficado lá — diz o homem. — Vou procurar outra cidade.

E assim foram o homem e sua família atrás de uma outra cidade, a cidade ideal.

No dia seguinte, um outro viajante, com sua família, aparece e faz a mesma pergunta ao sábio:

— O senhor poderia, por gentileza, me descrever como é esta cidade aqui?

E o sábio pede então a esse outro viajante que diga como era o lugar de onde ele veio. E o viajante diz:

— Ah, é uma cidade linda, uma cidade que cresce, os homens são honestos, as mulheres são honradas, as crianças são educadas, os pássaros são lindos.

— E por que você saiu de lá? Pergunta o sábio.

— Porque o meu negócio cresceu muito, eu aprendi muito e me tornei um perito. E preciso ir para um lugar maior, onde eu possa exercer melhor o meu ofício. Eu sou metalúrgico, forjo metais, e preciso de um lugar onde eu possa usar melhor esse meu dom. Por isso queria saber como é esta cidade.

— Parece que você está descrevendo a nossa cidade — disse o sábio. — A cidade é linda, os homens são honestos, as mulheres são honradas, as crianças são educadas, os pássaros cantam, a cidade é produtiva e não para de crescer.

O viajante olha para a esposa, se abraçam, sorriem. E pergunta ao sábio:

— O senhor acha que seríamos bem aceitos nesta cidade?

E o sábio diz:

— Meu filho, você é a cara desta cidade.

O viajante então se encaminha para a sua nova cidade.

E o menino, que brincava de bola de gude e acompanhava esses diálogos, perguntou ao sábio:

— Ontem o senhor disse para aquele viajante que a cidade não prestava, e hoje o senhor diz que a cidade é maravilhosa. O senhor está mentindo?

— Não, menino — responde o sábio. — As pessoas não veem o mundo como o mundo é. As pessoas veem o mundo como elas são. Seja aonde forem, vão se encontrar com elas mesmas e com suas crenças.

Para extrair o melhor das suas conexões pessoais e produzir grandes resultados, é preciso aprender a decifrar as pessoas que o cercam. Neste livro, vamos mostrar a você como as avaliações de perfil comportamental poderão ser aplicadas em todas as áreas da vida, tanto para quem busca o autoconhecimento para explorar os próprios potenciais quanto para quem precisa conhecer melhor os outros, a fim de aumentar o desempenho da empresa, dos setores, das equipes, da comunidade, da vida familiar, dos relacionamentos etc.

Reunimos aqui estudos e discussões que temos feito desde 2013 a respeito das dimensões do comportamento humano, os quais resultaram no desenvolvimento do CIS Assessment®, um software de inteligência e de análise de perfil comportamental da *Febracis – Coaching Integral Sistêmico®*. O programa traz a oportunidade de identificar o perfil e os valores de cada pessoa, tornando possível entender características e talentos para direcioná-la para as atividades adequadas às suas habilidades e competências.

Dedique-se a essa leitura, faça cada exercício aqui proposto e nós, Paulo Vieira e Deibson Silva, temos a certeza de que ao final você aprenderá a decifrar as pessoas, analisando suas características e motivações, extraindo o melhor de si e dos outros, e alcançando conquistas em todas as áreas da vida.

Para extrair o melhor das suas conexões pessoais e produzir grandes resultados, é preciso aprender a decifrar as pessoas que o cercam.

1

AUTOCONHECIMENTO: A CHAVE PARA LIDAR COM PESSOAS

Abrir mão de suas crenças
é um dos maiores obstáculos
para se compreender
diferentes pontos de vista.

Há quem diga que entender o ser humano é uma arte. E existe muita razão nisso. Não é só uma frase de efeito. Na verdade, manter uma relação bem-sucedida, harmônica, de modo que possamos expressar com clareza nossas percepções e passar a mensagem que queremos aos outros, é, sem dúvida, uma arte.

Mas não significa que precisamos ser artistas para nos relacionarmos bem – nem especialistas ou estudiosos da mente. É claro que, se tivermos algum conhecimento extra, isso sem dúvida ajuda. Mas não há pré-requisitos formais para lidarmos bem com aqueles com quem dividimos nossa casa, nosso trabalho, nossa vida. O que se exige é que saibamos falar a mesma língua do nosso interlocutor, isto é, conhecê-lo num sentido que nos permita perceber suas necessidades, desejos e interesses. Tanto quanto expressar os nossos próprios interesses e necessidades.

Falar uma mesma língua é algo que vai além do próprio idioma, dentro do que buscamos quando nos relacionamos. É claro que, se uma pessoa tenta conversar em grego com alguém que só entende a língua italiana, por exemplo, o resultado da conversa é provável que seja um desentendimento total. Se o outro não fala a minha língua, e nem eu a dele, como podemos nos entender?

Se você pensar que um idioma é parte de um conjunto maior de expressões do ser humano, vai perceber então que nos comunicamos de muitas formas, as quais fazem parte do que chamamos de **linguagem humana**, a qual inclui o modo como olhamos, como sentimos, os nossos movimentos e o nosso próprio comportamento diante dos outros.

No entanto, nas empresas, nas famílias e mesmo no convívio social, nem sempre falamos de maneira clara essa nossa mesma língua (idioma), e muitas vezes temos dificuldade de nos comunicar e de compreender o que está sendo dito quando precisamos compartilhar os nossos desejos, aspirações, sonhos e medos. O mesmo se dá quando é necessário compreender tudo isso no outro.

Como você já percebe, a questão é tão ampla quanto intrigante. Por isso vamos continuar nessa analogia do idioma para percebemos melhor o que significa "falar uma mesma língua".

Um bom exemplo para compreender isso são os hoje tão disseminados tradutores eletrônicos. Já existem aplicativos capazes de traduzir uma conversa em diferentes idiomas e em tempo real – como o *Google Translate*. Mas qual o padrão linguístico usado nesses sistemas? Sem entrar em detalhes técnicos, nos interessa saber que para determinada palavra há um conjunto de possibilidades de tradução. Afinal, um mesmo termo, dependendo do contexto e da entonação, pode ter diferentes significados. O mesmo se aplica, então, a outros idiomas. Em resumo, busca-se uma referência que possa ser adaptada e que atenda a diferentes programas ou tradutores eletrônicos.

Imagine que você, leitor, tenha um desses aplicativos no seu celular para conversar com um colega de trabalho. Porém, como vocês falam uma mesma língua, não há necessidade de tradução simultânea. Afinal, a palavra "trabalho", por exemplo, tem o mesmo significado para ambos, assim como a expressão "Quero o melhor de você aqui na empresa". Essa é uma frase simples, cada fragmento tem um significado claro e preciso, mas... no conjunto, essa frase carrega uma série de outras informações e intenções que não aparecem claramente na frase em si.

Como assim?

Observe: aquilo que um chefe quer expressar quando diz que espera "o melhor de seu funcionário" tem certamente a ver com "o melhor desempenho e a melhor dedicação possível" desse colaborador na empresa. Justamente para que os resultados esperados sejam alcançados. Este é o ponto de vista e a expectativa do chefe ou gestor. Afinal, ele contratou o funcionário justamente para isso. Porém, para o colaborador, isso pode significar uma coisa bem diferente, pois, quando ele ouve algo como "o melhor de mim" (*estamos agora pensando como o funcionário*), isso não é exatamente e nem necessariamente aquilo que "esperam de mim". Se o colaborador está chateado por achar que a empresa não reconhece o seu talento, se está desmotivado ou atuando num setor em que não consegue desempenhar o melhor de si, como ele poderá corresponder adequadamente a essa expectativa do chefe?

Esse é um problema comum, e envolve muitas variáveis, a começar pelo jeito como o chefe ou o gestor vê o mundo e as pessoas. Isso sem falar do sistema ou do setor de recrutamento da empresa (o RH), que pode não estar configurado adequadamente para perceber os anseios, as necessidades e outros sentimentos que poderão se manifestar no comportamento do colaborador.

Agora, imagine só se o aplicativo que mencionamos conseguisse fazer a tradução "emocional" das frases. Certamente isso ajudaria muito o gestor a perceber o que acontece com o funcionário. O problema é que esses relatos e essas percepções não se dão de modo instantâneo, de uma hora para outra, como um aplicativo que traduz um idioma. Algumas dessas frases de impacto, ditas de maneira ríspida e imediata, são construídas emocionalmente ao longo do tempo de vida de uma pessoa. Muitas vezes, aquilo que esperamos não coincide com aquilo que o outro é capaz de nos dar. Há muitas variáveis no caminho. Às vezes, esse colaborador não tem a habilidade necessária para atuar do jeito que se espera que ele atue, ou ele não está satisfeito com as condições do ambiente ou da carreira, ou você, enquanto gestor, não está sabendo decifrar os interesses e as necessidades do funcionário. E todas essas condições são essenciais para que a relação seja efetiva e producente.

Esse é apenas um exemplo, mas há milhares de outros, conforme você vai ver ao longo do livro. Captar esse sentimento ou impressão é algo bastante complexo, e exige ferramentas adequadas e precisas, com base teórica e amplo alcance na análise de perfis. E que sejam capazes de mapear sentimentos e emoções que não estão claros nem para a própria pessoa com a qual conversamos. No Capítulo 2, apresentaremos uma solução consistente que irá ajudá-lo a trabalhar muitas dessas questões – mas antes precisamos ainda esclarecer alguns pontos.

"Falar uma mesma língua" significa, portanto, perceber e compreender o comportamento do outro. Um comportamento que é também em sua natureza uma forma de idioma, um outro modo de expressão e linguagem, e que se revela em atitudes, em silêncios, em impulsos e, sobretudo, no descompasso entre o que se faz e o que se espera que seja feito.

Nesse sentido, compreender o que o outro fala, sobretudo o *modo como fala*, implica uma aproximação, uma interação e, acima de tudo, um interesse genuíno pela figura do outro. Só assim poderemos realmente entender por que tal pessoa pensa e age de determinada maneira, quais são suas aspirações, carências e potenciais. Na verdade, apenas quando compreendermos isso é que poderemos estabelecer uma relação verdadeira e dirigida para um mesmo horizonte.

É um processo que exige conhecimento, percepção e disposição para saber como o outro se comporta. Aliás, é parte de um ciclo que tem início no próprio autoconhecimento do indivíduo, pedra fundamental e instigante nesse roteiro de decifrar pessoas. Afinal, se não sabemos o que se passa dentro de nós, se não temos claro o que somos e o que queremos, como seria possível compreender essas mesmas coisas sob a perspectiva do outro?

Um dos obstáculos nessa jornada do autoconhecimento tem a ver com uma sensação de autossuficiência, e que leva a um desinteresse generalizado pelo que as pessoas sentem, querem, buscam e acreditam. Nessa condição, as pessoas se recusam a olhar (e a conhecer) o mundo do outro – e com frequência recusam-se a olhar qualquer mundo diferente do seu. Como se tudo pudesse se reduzir a um só caminho, a um só ponto de vista, a apenas um jeito de fazer as coisas – o qual vem a ser justamente o "meu jeito de ser, de pensar, de agir etc.". Já falamos sobre isso quando definimos arrogância e prepotência.

Se não sabemos o que se passa dentro de nós, se não temos claro o que somos e o que queremos, como seria possível compreender essas mesmas coisas sob a perspectiva do outro?

A sensação de autossuficiência aqui é poderosa. Mas tremendamente ilusória.

Quando agimos assim, fechamos os olhos para alternativas e soluções às vezes muito mais interessantes. Deixamos de ver os outros e nos tornamos cegos em nosso próprio modo de ver.

Tente lembrar de alguma discussão que teve com um colega, parente ou amigo: independentemente de estar certo ou não, será que você conseguiu ao menos compreender o ponto de vista do outro – a razão pela qual a pessoa pensava, em princípio, diferente de você? Tentou, por exemplo, se colocar no lugar da outra parte ou ficou insistindo para que ela visse as coisas apenas sob a sua lógica?

Veja, não estamos falando sobre ter ou não razão, estar certo ou errado; não é esse o nosso ponto aqui. O que estamos sugerindo é que você avalie quão disponível está (ou esteve) para entender um ponto de vista diferente do seu – e relacioná-lo com a história e os interesses do seu interlocutor. Pois apenas quando passamos a nos colocar no lugar do outro é que podemos falar de maneira que ele não apenas ouça, mas compreenda e extraia de si o que há de melhor.

O OUTRO COMO PROJEÇÃO DE MIM MESMO

É curioso pensar que, de modo geral, achamos que as pessoas são muito mais parecidas conosco do que realmente são. Há até uma máxima que se aproxima dessa ideia, a qual diz: "Trate as pessoas como você gostaria de ser tratado". Mas será que isso é mesmo verdade? É claro que é muito mais confortável acreditar nisso. Afinal, se "todos são mesmo parecidos comigo", fica muito mais fácil saber o que é melhor para os outros. Porém, quando penso que deveria tratar o outro como *eu* sou tratado, na verdade não estou pensando nem um pouco no outro, mas apenas em mim mesmo. E dessa forma passo a nivelar as pessoas, a rotulá-las e a não enxergar nelas nada além de uma projeção desse "eu".

Pense: será que o outro gostaria mesmo de ser tratado da mesma forma que você? Se preferir, inverta a questão: será que você gostaria de ser tratado como o outro, ou a maioria das pessoas? Seja sincero! Será que aquilo que é mais importante para você é também importante para o seu colaborador, para o seu filho, cônjuge, pai ou amigo?

Há pessoas que adoram receber uma bonificação no final do ano. Outras ficariam muito mais satisfeitas se ganhassem uma viagem com tudo pago pela empresa. Ou seja, tratar o outro como você gostaria de ser tratado não é uma prova de empatia. Pelo contrário, talvez mostre a sua inabilidade de enxergar que as pessoas têm desejos e necessidades diferentes dos seus.

Essa incapacidade de entender, aceitar, respeitar e até amar as diferenças – no sentido de que elas nos aprimoram – está na raiz dos conflitos. Afinal, olhar os outros como seres únicos e independentes de nós não é tarefa fácil. Dá trabalho, exige disposição, aceitação, abertura, conhecimento, paciência e muitas vezes admitir que nem sempre estamos certos. Pois são justamente esses aspectos que tornam tão desafiador o ato de decifrar pessoas.

Considere esses dados: uma pesquisa feita em 2015 pelo *International Stress Management Association* (Isma Brasil) mostrou que 63% dos casos de insatisfação com o trabalho são atribuídos a problemas de relacionamento. Uma constatação que certamente extrapola os limites corporativos. Por exemplo, os índices de divórcio no Brasil aumentam a cada ano. Segundo dados do IBGE, em 2015 foram registrados 328.960 divórcios; já em 2016 foram 344.526.

Não é difícil imaginar como isso fica em outras áreas ou setores, principalmente aqueles em que as relações se dão de modo informal, ou pelo menos não estão presas a contratos ou normas – por exemplo, as relações de amizade, as conexões em um grupo de estudo, na família etc. Não há dados objetivos em relação ao que mantém ou não determinado círculo mais ou menos coeso, mas não nos escapa que é cada vez mais evidente que a chave para grandes realizações está na capacidade de estabelecer conexões positivas com o outro. Isso envolve e requer vontade e conhecimento de si e *para com* o outro (o que pressupõe o uso das chamadas competências emocionais e sociais – falaremos mais sobre elas à frente), algo que se relaciona totalmente aos conceitos de Inteligência Emocional (IE).

Na Febracis, nós costumamos explicar isso a partir da seguinte ilustração.

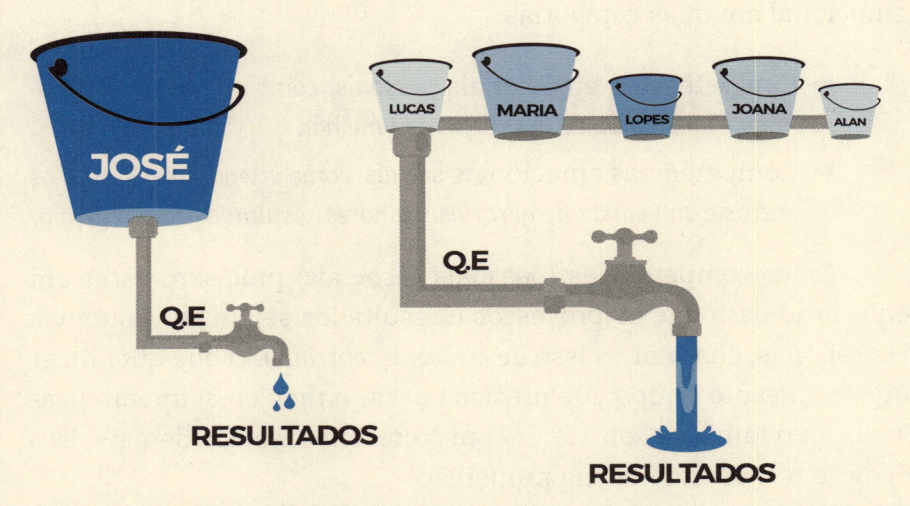

Os baldes d'água da figura simbolizam a capacidade cognitiva de cada indivíduo. José possui a maior caixa d'água, como você pode ver, o que quer dizer que ele possui uma grande capacidade racional e lógica. Em outras palavras, tem o mais alto Quociente de Inteligência (Q.I.) do grupo, isto é, uma ótima capacidade de manejar coisas e conduzir pessoas de maneira lógica e racional. Em contrapartida, ele apresenta pouco Quociente Emocional (Q.E.), isto é, tem muita dificuldade de trabalhar emocionalmente com pessoas, de compreendê-las e de perceber suas necessidades. Isso gera, portanto, poucos resultados. Já Lucas, representado pelo primeiro balde do lado direito, possui um Q.I. mais baixo que o de José. No entanto, ele apresenta grande capacidade de se conectar de maneira efetiva com Maria, Lopes, Joana e Alan, seus colegas de trabalho. Juntos, eles geram muito mais resultados que José, embora nenhum deles tenha individualmente o intelecto (Q.I.) tão desenvolvido quanto o dele.

Como dissemos, a chave para grandes realizações está na capacidade de conexão positiva com as pessoas. Porém, essa conexão tem de passar, necessariamente, pela conexão consigo mesmo. Não é à toa que o especialista Daniel Goleman, PhD pela universidade de Harvard (Estados Unidos), divide a inteligência emocional em duas categorias:

▶ Competências emocionais *pessoais: como eu me conecto comigo e sou capaz de extrair o meu melhor.*
▶ Competências emocionais *sociais: como eu me conecto com os outros e sou capaz de gerar os melhores resultados com o grupo.*

Essas competências (pessoais e sociais) precisam estar em equilíbrio para que os processos e resultados sejam consistentes. Na Febracis, chamamos isso de *crescer* e *contribuir*. O que quer dizer que, ao mesmo tempo que preciso buscar o meu crescimento pessoal, devo também contribuir com o crescimento dos demais. Isto é, dar e receber na mesma proporção.

Podemos dizer que **crescer** faz parte do rol das *competências pessoais*, assim como **contribuir** é uma das chamadas *competências* *sociais*. Frisamos que essas competências não podem ser dissociadas. Afinal, ninguém cresce *verdadeiramente* sem contribuir com os outros, tanto quanto não há como ter contribuição efetiva sem crescimento pessoal.

Esse é um ponto importante que destacamos aqui. Muitos processos de coaching, mentoring e até MBAs pecam ao tentar conduzir o desenvolvimento humano apenas pelo que está fora, ou seja, pela capacidade do indivíduo de se conectar com outras pessoas e produzir os melhores resultados para o grupo. Esse erro prejudica completamente o processo. Afinal, como é possível compreender as emoções do meu cônjuge se não consigo entender as minhas próprias emoções? Como posso desenvolver as capacidades da minha equipe se não conheço meus próprios limites e minhas próprias capacidades e potencialidades?

Entender isso é fundamental para o êxito do processo. Não há como conhecer, de fato, o outro se não nos dispomos em primeiro lugar a nos avaliar e a pensar sobre nós mesmos, sobre o que buscamos e esperamos de nós.

Foi justamente por isso que desenvolvemos o CIS Assessment, um instrumento de autoconhecimento que levará você, leitor, a entender mais sobre o seu relacionamento consigo mesmo e com o mundo a sua volta. O software traz um formato inédito de avaliação, o qual iremos apresentar ao longo do livro, com exclusividade para você, leitor.

Para entender e decifrar o outro, você precisa primeiro entender e decifrar a si mesmo. Isso é autoconhecimento: a consciência plena de quem você é.

Não é de hoje que se fala da importância dessa busca. O filósofo grego Sócrates (470 a.C.-399 a.C.), que influenciou todo o pensamento filosófico ocidental, já apontava nessa direção. A frase dele é exemplar: "Conhece-te a ti mesmo e conhecerás os Deuses e o Universo". Há mais de dois mil anos, ele já percebia a total relevância de olhar, primeiro, para dentro de si, para as próprias potencialidades e os aspectos a serem desenvolvidos para, a partir de então, e com a compreensão exata de si mesmo, buscar uma vida plena e equilibrada.

O filósofo Aristóteles (384 a.C-322 a.C.), discípulo de Platão, também escreveu sobre a necessidade do autoconhecimento. No livro Ética a Nicômaco, ele registrou os conselhos que deixaria a seu filho, Nicômaco, sobre como alcançar o sucesso e a felicidade. Ele sugeriu que, todos os dias, antes de dormir, o filho se perguntasse três coisas:

▶ Quem eu Sou?
▶ Quem eu gostaria de Ser?
▶ O que eu preciso fazer para me tornar quem eu quero Ser?

Esse raciocínio é uma das bases para o processo de coaching. Os ciclos de sessões sempre começam pela identificação do que chamamos de *estado atual*, ou seja, onde exatamente está sua vida hoje, ou "quem eu sou?". Em seguida, busca-se identificar aonde o cliente quer chegar, seus objetivos, ou "quem *ele* (ou *eu*) gostaria de ser?", o que chamamos de *estado desejado*. A partir daí, são identificados os fatores impeditivos e facilitadores no caminho do cliente, e são traçadas as ações que o levarão do ponto inicial ao ponto desejado. Esse estágio se relaciona a "O que *eu* preciso fazer para me tornar quem *eu* quero Ser".

Para entender e decifrar o outro, você precisa primeiro entender e decifrar a si mesmo. Isso é autoconhecimento: a consciência plena de quem você é.

Autoconhecimento: a chave para lidar com pessoas | 41

Conhecer a si mesmo, de maneira profunda e verdadeira, é o ponto de partida de tudo. Sem isso, todo o processo de autoconhecimento e desenvolvimento pessoal fica prejudicado.

Para pôr em prática esse processo de decifrar pessoas, convidamos você a começar a decifrar a si próprio. Vamos lá?

Quem é você?
___
___
___

Quais características comportamentais você tem e todos as reconhecem em você?
___
___
___

Quais características comportamentais as pessoas veem em você, mas você não se percebe com elas?
___
___
___

Quais características você mais gosta em si mesmo(a)?
___
___
___

Quais comportamentos você não tem, mas gostaria de ter?
___
___
___

Quais comportamentos você tem, mas gostaria de não ter?
___
___
___

Que coisas ou situações motivam você a ponto de fazer os seus olhos brilharem?
_____
_____
_____

Ao longo do livro, você terá cada vez mais oportunidades e clareza de descobrir quem você é realmente e quais as suas tendências comportamentais. Agora que você já compreendeu que só é possível conhecer e decifrar o outro quando você conhece a si mesmo, podemos avançar para as próximas instâncias da plenitude.

> *Conhecer a si mesmo, de maneira profunda e verdadeira, é o ponto de partida de tudo. Sem isso, todo o processo de autoconhecimento e desenvolvimento pessoal fica prejudicado.*

AS OITO INSTÂNCIAS DO AUTOCONHECIMENTO

Todo processo de desenvolvimento humano tem início com uma profunda autoanálise, fase que chamamos de INSTÂNCIA 1: a conexão do indivíduo com ele mesmo. Ao todo, uma pessoa se comunica e se percebe nas interações com a vida e com o mundo através de oito instâncias, que vêm a ser:

INSTÂNCIA 1 – **Você consigo mesmo;**
INSTÂNCIA 2 – **Você e seu companheiro(a);**
INSTÂNCIA 3 – **Você e sua família;**
INSTÂNCIA 4 – **Você e seu trabalho;**
INSTÂNCIA 5 – **Você e seus parentes;**
INSTÂNCIA 6 – **Você e suas relações sociais;**
INSTÂNCIA 7 – **Você e a sociedade;** e
INSTÂNCIA 0 – **Você e Deus.**

Instância 1 – Você consigo mesmo

A primeira instância fundamental para a plenitude humana é a conexão consigo mesmo. Se a pessoa não trabalhar essa instância, nada funcionará. Por isso, perguntamos: qual o nível e a qualidade da sua conexão consigo? Quais são os *diálogos internos*[1] que passam pela sua cabeça? Vejamos:

▶ Seus pensamentos costumam ser positivos e fortalecedores ou são do tipo destrutivo, gerando em você um sentimento de vitimização?

▶ Você está usufruindo do seu máximo potencial, usando com sabedoria os próprios dons e talentos?

▶ Você sabe verdadeiramente quem é e aceita os próprios defeitos e qualidades – mas sempre buscando se tornar alguém melhor a cada dia?

Instância 2 – Você e o seu companheiro(a)

A segunda instância fala de você em relação à pessoa com quem divide sua casa, sua cama, a intimidade do seu lar, isto é, o seu parceiro ou parceira. Como você já deve ter percebido, uma crise conjugal é capaz de comprometer o desempenho de uma pessoa em praticamente todas as áreas de sua vida. Da mesma forma, se esse alguém está bem consigo mesmo e com o seu cônjuge, passará por todos os desafios de maneira mais segura e mais fácil, pois poderá dividir sua rotina com um aliado, alguém que vai ajudá-lo a planejar as estratégias que precisam ser articuladas, que poderá aconselhá-lo, ajudá-lo a ver situações que não se apresentavam de modo claro, que poderá, enfim, dar o suporte necessário – inclusive do ponto de vista emocional – diante de adversidades, dúvidas e conflitos.

---

[1] Explicamos melhor na página 48 o que é diálogo interno.

Se você é solteiro, reflita sobre isso e considere como seriam certos cenários de sua vida se houvesse a participação de um companheiro(a). Por exemplo:

- ▶ Em que situações seria importante compartilhar impressões, medos ou celebrar conquistas e realizações?
- ▶ Se você ainda se vê como muito jovem para o casamento, como pensa o seu futuro nesse aspecto?
- ▶ Quão importante seria se pudesse compartilhar com um companheiro(a) sua carreira, seus empreendimentos, estudos, futuro etc.?

É claro que uma relação nesse nível deve envolver antes de tudo amor e admiração mútuos – e só neste caso, quando isso está bem claro para ambos, é que se deve pensar em outras formas de interação.

Estudo do *National Bureau of Economic Research* – publicado em dezembro de 2014[2] – mostra que pessoas casadas são mais satisfeitas com a vida do que as solteiras de mesma faixa etária, principalmente quando o casal constrói uma forte conexão de estabilidade e amizade. Um levantamento feito pelo norte-americano Jay Zagorsky, da Universidade do Estado de Ohio, aponta ainda para um dado surpreendente: mostra que, em 2010, casais com idades de 55 a 64 anos ganhavam, em média, US$ 261 mil por ano, enquanto a média anual de ganhos de um homem solteiro era de US$ 71 mil, e a de uma mulher solteira, US$ 39 mil.

Para você ter uma ideia da grandeza desses dados, considere: um casal (bem estruturado emocionalmente) chega a ganhar quase quatro vezes mais que um homem solteiro, e quase seis vezes mais que uma mulher solteira. Porém, os casamentos não são em si mais rentáveis, financeiramente falando. Mas os casamentos que apresentam uma estrutura emocional bem resolvida, em que há

---

[2] Confira a pesquisa no endereço: <www.nber.org/papers/w20794>. Acesso em: 20 jul. 2018.

amizade entre os cônjuges e cujos parceiros tenham mais afeição um pelo outro, provavelmente terão mais conquistas financeiras para comemorar.

Acreditamos que ter uma excelente conexão com a INSTÂNCIA 2 contribui diretamente para o sucesso pessoal e profissional. Por isso, perguntamos:

▶ Como está a sua conexão com a INSTÂNCIA 2?
▶ Como você se conecta com a pessoa que divide a cama com você?
▶ É uma relação de respeito, confiança, credibilidade, harmonia, amor e admiração?
▶ Se você é solteiro(a), como pensa a possibilidade de uma relação mais estruturada e duradoura?

Ter uma excelente conexão com a INSTÂNCIA 2 contribui diretamente para o sucesso pessoal e profissional.

Instância 3 – Você e sua família

A terceira instância trata das conexões com as pessoas que compartilham com você o mesmo teto: se mora com os pais, diz respeito à conexão com eles; se mora com os filhos, diz respeito à conexão com eles – ou com algum outro parente.

Olhando para essas relações, e considerando as pessoas com as quais divide sua casa, como você avalia a sua conexão com a INSTÂNCIA 3?

▶ É uma conexão de amor, companheirismo, harmonia e paz?
▶ Você sente prazer em estar em casa ou está sempre buscando motivos para estar fora?

▶ No seu lar, as pessoas conversam e se interessam umas pelas outras ou cada uma vive no seu canto, sem haver real interação?

▶ Se você mora sozinho, como avalia sua vida fora do eixo familiar?

O lar deveria ser o ambiente onde todos se sentissem mais à vontade para serem quem realmente são. No entanto, quase sempre o que vemos não é isso. De um lado, há muitas vezes pais excessivamente rigorosos, que reprimem tanto os filhos que estes não conseguem ser eles mesmos. E, nessa situação, se afastam e fogem do convívio familiar. Decorre disso falta de diálogo, conexão e compreensão mútua. Muitas vezes, há casos de irmãos que não se entendem, e estão sempre discutindo e brigando, e os pais, talvez preocupados apenas em manter a ordem a partir do seu ponto de vista, não têm ideia do que acontece entre os filhos.

O lar é um espaço de compartilhamento, em diferentes níveis. É essencial a existência de uma conexão entre todos os membros da família, cada qual com suas particularidades. É preciso haver respeito, espaço para que todos se coloquem, e, acima de tudo, uma preocupação de todos para com todos, no sentido de que cada qual realize suas aspirações.

A INSTÂNCIA 3 também abrange sua relação com os(as) seus(uas) empregados(as) domésticas(os). Mesmo que não morem com você, compartilham com frequência o mesmo espaço. Pergunte-se:

▶ Você elogia o trabalho delas(es)?

▶ Percebe quando elas(es) estão mais fechadas(os), provavelmente passando por algum problema?

▶ Como você lida quando percebe ou descobre que há um problema pessoal deles, fora do trabalho?

▶ Será que você não anda muito preocupado consigo mesmo a ponto de nem reparar nas pessoas que cuidam da sua casa, da sua comida e até dos seus filhos, quando você não está por perto?

Instância 4 – Você e o seu trabalho

A quarta instância é o ambiente profissional. Ela trata da sua relação com as pessoas que trabalham com você. São seus pares, líderes, liderados, clientes e fornecedores. Essa instância vem antes mesmo dos parentes (familiares distantes), afinal, passamos, em média, oito horas por dia em contato com ela. Procure responder:

- Como é a sua conexão com as pessoas no seu ambiente profissional?
- Você vem gerando resultados realmente consistentes?
- Você contribui com seus colegas, buscando um alto desempenho para a sua equipe?
- Pense na semana que se passou: vocês trabalharam de maneira realmente colaborativa?
- Tem orgulho dos resultados que você e sua equipe vêm obtendo?

Equipes de alta performance apresentam uma forte conexão nessa instância, quando conseguem deixar as diferenças pessoais e a vaidade de lado e usar o potencial de cada um para atingir os objetivos do grupo. Como dissemos, aqui você passa em média oito horas por dia, cinco dias por semana. É nessa instância que muitos dos seus sonhos e planos profissionais e de carreira poderão se realizar. Nesse sentido:

O que você diria sobre esses planos: estão claros para você? Há alguma estratégia ou planejamento em andamento para realizá-los? Escreva abaixo sobre os planos que você possui hoje nessa instância.

Equipes de alta performance apresentam uma forte conexão nessa instância, quando conseguem deixar as diferenças pessoais e a vaidade de lado e usar o potencial de cada um para atingir os objetivos do grupo

Instância 5 – Você e seus parentes

Essa instância se refere a seus parentes. Aquelas pessoas que possuem um laço de sangue com você, mas não moram sob o mesmo teto. Por favor, responda às perguntas a seguir:

Você tem uma boa relação com eles? Em quantidade e qualidade de tempo?
_____
_____
_____

É uma relação de proximidade e afeto ou de distância e indiferença? Quando vocês estão reunidos, vivem momentos de amor e harmonia ou de tensão e discórdia? Qual a única coisa que você poderia fazer hoje para melhorar esses relacionamentos?
_____
_____
_____
_____

Você pode contar com o apoio deles e eles com o seu, ou é cada um por si? A relação de vocês é cheia de amor ou de mágoa?
_____
_____
_____

Se todas as suas respostas foram positivas, você tem demonstrado em palavras e ações a sua gratidão pelos seus parentes?
_____
_____
_____

Um dos maiores desafios relacionados a essa instância é aprender a conviver com as diferenças. Assim, quão tranquilamente você consegue superar essas divergências e estabelecer espaços de convívio harmonioso com essas pessoas?

Instância 6 – Você e suas relações sociais

Esta sexta instância trata das relações sociais, isto é, abrange suas conexões de amizade. Essa é uma instância fundamental, pois seus amigos, quer você queira ou não, influenciam o seu nível de felicidade, o seu peso, aspectos físicos e de aparência, a sua relação conjugal e até mesmo a sua conta bancária, por meio de um fenômeno chamado *contágio social*, estudado durante mais de 30 anos pelos cientistas Nicholas A. Christakis e James H. Fowler. Esses pesquisadores também constataram que as pessoas mais solitárias (com menor número de conexões sociais) são também as mais infelizes. É algo que sentimos na pele: a ausência de relações de amizade é prejudicial a nossa saúde.

Significa dizer que os seus amigos são tão capazes de influenciar os resultados que você obtém em sua vida quanto qualquer outra instância e, portanto, não devem ser negligenciados. Assim, perguntamos:

- ▶ Qual a qualidade da sua conexão com as pessoas dessa instância?
- ▶ Você confia, verdadeiramente, nos seus amigos?
- ▶ As suas amizades são sinceras e profundas ou são superficiais?
- ▶ Você se identifica e vê pontos de conexão com os seus amigos – e sente o mesmo deles em relação a você?
- ▶ Eles influenciam você positivamente e torcem pelo seu sucesso?

Instância 7 – Você e a sociedade

A sétima instância diz respeito a sua conexão com a comunidade ou sociedade, ou seja, as pessoas que não fazem parte dos seus círculos sociais, familiares, de trabalho, mas, querendo ou não, estão presentes em sua vida. São pessoas que não têm absolutamente nada a dar para você. Como você as trata?

Esta instância relaciona-se a sua capacidade de servir, de contribuir com obras de caridade, visitando instituições de amparo a crianças carentes, doando para entidades filantrópicas etc. Ou seja, contribuindo de maneira ativa com a comunidade que o rodeia para que ela se torne um lugar melhor no futuro.

Engloba também o vendedor que o atende numa loja, o caixa do supermercado, a pessoa que você encontra no elevador, quem ocupa o mesmo espaço público que você, o pedestre que atravessa a rua e até o motorista que buzina no carro atrás do seu. Reflita sobre isso:

- Qual é a sua conexão com essas pessoas? (Tente descrevê-la.)
- É uma conexão positiva?
- Você as trata de modo receptivo? Ou com indiferença e grosseria?
- Você se sente bem recebido nesses ambientes?
- E quando elas o tratam mal, como você reage? Com compaixão ou com revolta?

A sua conexão com essa instância revela muito sobre quem você é e qual o seu nível de Inteligência Emocional, pois evoca as suas competências sociais.

Instância 0 – Você e Deus

Existe ainda uma outra instância, que envolve todas as outras. Nós não a chamamos de instância oito, mas de INSTÂNCIA ZERO, pois ela é o início de tudo: a INSTÂNCIA DEUS. Talvez você, leitor, seja ateu. Pedimos que mesmo assim reflita sobre essa instância, e entenda o que nomeamos como Deus como a força criadora do universo, a inteligência suprema ou a própria energia do amor.

Acreditamos que existe uma face divina que você só irá enxergar quando conseguir perceber a beleza e a maravilha de sermos únicos, cada qual com suas características e complementos. Deus fez cada um de nós diferentes uns dos outros, cada um com o seu papel, cada um com os seus dons e talentos. No entanto, muitas vezes nós olhamos para nossas diferenças de personalidade e as enxergamos como problemas, quando, na verdade, são presentes valiosos que estão a nossa disposição.

EXERCÍCIO

A forma como você se conecta com cada instância revela a sua habilidade emocional. Talvez você tenha uma excelente relação com seu cônjuge (INSTÂNCIA 2), mas não consiga ter uma boa conexão no trabalho (INSTÂNCIA 4). Ou, quem sabe, você está em perfeita conexão com sua comunidade (INSTÂNCIA 7), mas não consegue se relacionar bem com os seus pais (INSTÂNCIA 5). Em cada uma dessas instâncias, existe uma conexão diferente, mas todas elas apresentam os seus desafios, pois todas estão relacionadas à forma como você convive consigo mesmo e com os outros.

Pedimos que releia, então, com cuidado e atenção a explicação sobre cada uma das instâncias aqui apresentadas, e responda com sinceridade o quadro a seguir:

Quais os maiores desafios que você enfrenta hoje, relacionados a sua conexão em cada uma dessas instâncias?	
INSTÂNCIA 1 (EU)	
INSTÂNCIA 2 (CÔNJUGE)	

INSTÂNCIA 3 (LAR)	
INSTÂNCIA 4 (PROFISSIONAL)	
INSTÂNCIA 5 (PARENTES)	
INSTÂNCIA 6 (SOCIAL)	
INSTÂNCIA 7 (COMUNIDADE)	
INSTÂNCIA 0 (DEUS)	

Quadro de decisões

Após escrever os seus principais desafios em cada instância, escreva a seguir quais decisões você toma para ter grandes mudanças em cada uma das instâncias.

INSTÂNCIA 1 (EU)	
INSTÂNCIA 2 (CÔNJUGE)	
INSTÂNCIA 3 (LAR)	

Instância 4 (Profissional)	
Instância 5 (Parentes)	
Instância 6 (Social)	
Instância 7 (Comunidade)	
Instância 0 (Deus)	

A chave para se comunicar com o próximo está em não tentar mudá-lo, mas mudar a si mesmo. Para isso, você precisa ser um profundo conhecedor da sua alma e dos seus comportamentos. Esse é o maior convite que fazemos a você com este livro.

SAIBA MAIS

Como se forma o comportamento

Você já se perguntou como se forma a personalidade de uma pessoa? Acredite, esse questionamento atravessa séculos. E muito se discutiu sobre ele. Hoje sabemos que o ser humano é um ser *biopsicossocial*, ou seja, é formado pelo conjunto de fatores hereditários (genes transmitidos pelo DNA), psicológicos (psique, pensamento, sentimento etc.) e sociais (cultura, educação familiar, ambiente etc.). Do mesmo modo se forma o comportamento humano.

Embora saibamos, por meio da Neurociência, que o comportamento é produzido no cérebro, a genética comportamental nos revela que os genes também nos influenciam de maneira significativa, desde o formato da nossa massa cinzenta até o nosso comportamento em si. Porém, a genética define apenas *tendências*, que podem se concretizar ou não, a partir das nossas experiências e dos significados que damos a cada uma delas. Nenhum comportamento é completamente herdado; sempre haverá fatores psicológicos ou sociais que também o influenciam, como a cultura, a religião, a educação familiar e a educação formal, as crenças, os valores etc.

A formação da personalidade é um processo complexo e gradual. Seu desenvolvimento acontece na infância, quando a criança é influenciada e estimulada pelo comportamento dos pais, educadores e por outras pessoas do seu convívio. A família é essencial para moldar o desenvolvimento psicológico de uma criança. Uma pessoa que cresce num lar pacífico, ao lado de pais amorosos, cuidadosos e apoiadores, irá desenvolver estruturas psicológicas fortalecidas e seguras para enfrentar os desafios da vida. Já pessoas que passaram por experiências traumáticas terão sua personalidade e seus modos de atuar afetados de maneira significativa.[3]

Durante a gestação, a criança é capaz de sentir todas as emoções da mãe e registrá-las na memória, mesmo após o nascimento. É no lar que se formam as crenças, a partir da quantidade e qualidade do amor recebido dos pais. Qualquer alteração na estrutura familiar – por exemplo, o divórcio do casal – vai interferir no desenvolvimento psicológico da criança e na sua personalidade.

---

[3] Para se aprofundar ainda mais no assunto, sugerimos que assista à palestra de Alison Gopnik sobre o tema "O que pensam os bebês?". Acesse o link: <https://www.ted.com/talks/alison_gopnik_what_do_babies_think?language=pt-br>. Acesso em: 20 jul. 2018.

Mudanças e adaptações às exigências do ambiente

James Heckman, ganhador do prêmio Nobel de Economia em 2000, pesquisou o processo de aprendizagem por mais de trinta anos. Ele compara a personalidade a um "prédio em construção". A base desse prédio está firmada em estruturas sólidas que, portanto, não mudarão de lugar, embora seja totalmente possível alterar o acabamento, a fachada, os móveis interiores, a pintura, a iluminação etc.

Outros importantes teóricos da Psicologia afirmam que a personalidade está em constante formação, até o fim da vida. Carl Rogers e Alfred Adler acreditavam que na natureza humana existe uma tendência ao aperfeiçoamento a partir das experiências diárias.[4] Quando Carl Gustav Jung diz que o ser humano tende à *individuação*, no sentido de tornar-se único em seu modo de ser, ele também corrobora com essa ideia de que estamos a cada dia nos tornando melhores.[5]

No entanto, estudos da Neurociência indicam que a atividade psicológica é totalmente ligada à atividade neural. A personalidade é estável, mas pode ser afetada pelas experiências ao longo da vida. Uma grande mudança na personalidade pode acontecer a partir de muita repetição ou devido a um forte impacto emocional.

Transforme seu cérebro, transforme sua vida

O neurologista e psiquiatra Daniel Amen, no livro *Transforme seu cérebro, transforme sua vida*, realizou um estudo sobre os efeitos do comportamento no cérebro humano. Por meio da leitura de ondas cerebrais, Amen afirma que certos

---

[4] Assunto aprofundado no livro *A ciência da natureza humana*, de Alfred Adler. São Paulo: Editora Nacional, 1945.

[5] Você pode se aprofundar sobre isso no livro *O eu e o inconsciente*, de Carl Gustav Jung. Petrópolis: Vozes, 1971.

comportamentos estão ligados a regiões específicas do cérebro. Ele observou que é possível alterar o comportamento nocivo por meio da reconfiguração de certas regiões cerebrais. Descobriu ainda que o cérebro não pode distinguir entre um comportamento real e um imaginário. Portanto, ao usar técnicas de visualização para imaginar um comportamento, é possível alcançar o alívio de transtornos de personalidade e até a melhora de sintomas físicos. A mente configura os neurônios para processar as demandas exigidas pelo ambiente, ou seja, é justamente a nossa reação ao mundo que nos caracteriza e faz de nós o que somos.

Em outras palavras, se a própria ciência, a partir de todas as informações e estudos de que dispõe, afirma que podemos transformar nosso modo de ver o mundo – e com isso transformar nossa vida e realidade –, por que insistir numa trajetória única (quando poderia ser múltipla), fechada (quando poderia ser aberta) e de mão única (quando poderia ser interativa)?

No próximo capítulo você vai começar a descobrir como é possível ampliar todos esses horizontes.

Diálogos internos

Trazemos aqui uma explicação sobre o que são e como funcionam os "diálogos internos", na acepção de Timothy Gallwey, renomado consultor e coach. Ele se refere a essa aptidão de nossa mente como um "jogo interior", como se duas entidades debatessem internamente (dentro de nós) certos dados da realidade exterior. É um processo natural, que acontece com qualquer pessoa, mas ao qual muitas vezes não damos atenção e tampouco compreendemos por que acontece.

Um exemplo é quando nos sentimos atraídos por uma pessoa de quem não teríamos nenhuma razão física, social e nem lógica para nos aproximarmos. No entanto, algo nos impulsiona a ela, talvez uma certa curiosidade, um magnetismo que não conseguimos explicar. Por mais que tentemos entender ou encontrar uma razão (e é aqui que esses diálogos acontecem), nos encaminhamos quase que inevitavelmente para essa pessoa. Mas por que isso ocorre?

Imagine um cenário numa empresa onde você terá que tomar uma decisão. Você tem basicamente dois arsenais de informações. Em um deles há dados que fundamentam a realidade *objetiva* desse cenário. Isto é, coisas práticas, e que vão ajudar você a compreender o que está acontecendo naquele local. Por exemplo: quantidade de recursos, verba disponível, condições físicas do ambiente etc. Já em outro arsenal, há dados que ajudam você a compreender as sutilezas dessa mesma realidade. São informações subjetivas, e que envolvem possibilidades ou a construção de hipóteses. Por exemplo, o humor das pessoas, a energia delas para alcançar as metas propostas, o nível de comprometimento etc. O que você faz com esses dados? Começa a acontecer um diálogo em sua mente. Você avalia as vantagens e desvantagens de adotar um ou outro critério para a ação e tomada de decisão. Você (sua mente, na verdade) mensura as dificuldades, avalia se vale a pena o uso de determinado recurso, compara estratégias etc. De modo geral, avaliamos o que é palpável e o que é subjetivo. E disso tentamos extrair nossas melhores resoluções para atingir os objetivos almejados. Observe que isso não é uma disputa, mas uma análise das melhores opções, das informações, nem sempre muito claras. É isso o que se passa em sua mente, às vezes de maneira despercebida. Isso acontece quando você compra um carro ou quando está escolhendo um restaurante para almoçar. Ou ainda quando precisa decidir se gostou ou não de alguma coisa. É o jeito como você (e sua mente) avalia pessoas, situações, o futuro, discussões, estudos, amigos, família, carreira, chefes e subordinados, entre outros. Nesse jogo, estão em cena diversos personagens, os quais sempre estão impactados por diferentes graus de emoções. Por exemplo: o nosso ego, o ser crítico que nos habita, o julgador, o entusiasta, o romântico, o ser passivo, o indiferente, o imediatista, o procrastinador, entre milhares de outros – cada qual conforme o nosso interesse, conforme a possibilidade da situação e também conforme a disponibilidade (interior ou exterior) da informação que buscamos. Quanto mais "vozes" ou "personagens" aparecem em nossa mente, melhores são os resultados dos nossos diálogos interiores, e mais amadurecidas serão nossas análises e reflexões. É isso que nos permitirá ter mais pontos de vista para serem avaliados. Por outro lado, quanto mais restrito for esse diálogo (pois há pessoas que têm intensos monólogos consigo mesmas), mais superficiais serão as análises e impressões, e, consequentemente, aumentarão as chances de erro.

Em quaisquer desses casos, os *diálogos interiores* são ingredientes essenciais para o amadurecimento do *eu interior*. Se pudermos alimentar esses diálogos, estimulando a análise de diferentes pontos de vista, maiores serão as chances de nos conhecermos melhor. Isso porque mais "vozes" ou "personagens" terão espaço em nosso próprio repertório de interesses, motivações, saberes e dúvidas, dentro de um imenso e intenso espectro de afetos, traumas, medos e desejos.

O CIS ASSESSMENT

Pense em todas as vezes em que você teve alguma dificuldade para lidar com alguém. Nas vezes em que teve a sensação de não conhecer uma pessoa, mesmo depois de anos de convivência. Ou quando conheceu alguém que não o agradou, e você nunca entendeu o motivo.

Agora, imagine que você tem o mapa comportamental dessa pessoa e com o qual poderá entender o porquê de todas as ações dela. Isso tornaria a conexão mais fácil?

E se nós dissermos que esse mapa já existe e que ele é totalmente acessível? Você pode usá-lo para entender o seu cônjuge, seus filhos, seus pais, seus colaboradores e, principalmente, a si mesmo. Pode mapear todos os setores da sua empresa, ou até a companhia inteira. Pode usar esse mapa para dialogar na linguagem correta com cada indivíduo de cada instância. Pode mudar a postura, o tom de voz e mesmo as palavras escolhidas com base no mapa da outra pessoa, falando de uma forma que ela realmente entenda o que você quer dizer, e de modo que você também a compreenda.

Isso é o CIS Assessment: um software de mapeamento de perfil comportamental; um instrumento para decifrar as pessoas e entender profundamente a si mesmo e aos outros.

Desde o início da Febracis, hoje a maior instituição de coaching das Américas, já sabíamos o quanto a análise de perfil comportamental é aliada no processo de desenvolvimento humano. A compreensão do perfil possibilita que você conheça e tome posse das suas melhores características e identifique os aspectos que precisa desenvolver. E a melhor maneira de trabalhar esses aspectos é pelo coaching. Portanto, são atividades que se complementam.

Depois de muitos estudos, lançamos em 2017 um software próprio que oferecemos a nossos alunos. Foram mais de três anos de estudos e testes até chegarmos ao CIS Assessment, um software que está em constante aprimoramento. Com ele, já na primeira sessão, o coach terá uma análise completa e profunda de quem é o cliente, suas maiores qualidades, seus medos, seus valores, entre uma infinidade de outras informações que aceleram os resultados de todo o processo de desenvolvimento.

Como funciona o CIS Assessment?

O mapeamento de perfil comportamental oferecido no CIS Assessment utiliza quatro grandes teorias: 1) DISC., fundamentada por William Moulton Marston; 2) Tipos Psicológicos, criada por Carl Gustav Jung; 3) Teoria de Valores, de Eduard Spranger; 4) Inteligências Múltiplas, criada por Howard Gardner. Nesta obra, você conhecerá as três primeiras teorias. E no nosso próximo livro vamos falar das Inteligências Múltiplas no contexto educacional e atrelado ao Coaching Integral Sistêmico[6] vocacional.

Essas quatro teorias são independentes, mas juntas oferecem uma perspectiva mais ampla e profunda sobre cada pessoa.

Você pode ter o seu mapeamento comportamental do CIS Assessment por meio da Febracis ou em contato com um analista formado pela empresa. Esse analista envia por e-mail a você o que chamamos de passaporte, que é a forma de acesso ao software.

Depois de preencher um breve cadastro, você irá responder a um questionário que nós chamamos de inventário comportamental. Nele, haverá 10 grupos, contendo quatro palavras cada, conforme a figura a seguir. Você irá ordená-las no sentido da que melhor o descreve para a que menos o descreve. Sempre pensando em *quem é você em essência*. Neste primeiro momento, esqueça quem você está tentando ser ou se tornar e pense apenas em quem você verdadeiramente é, mesmo que, por algum motivo, não goste das suas características.

---

[6] O Coaching Integral Sistêmico® é um método criado e desenvolvido por mim, Paulo Vieira, um dos autores deste livro. Nele, o coaching tradicional é expandido e trabalha os lados racional e emocional do ser humano. Além disso, considera que o ser humano é sistêmico, de maneira que, se uma área da vida está ruim, todas as outras serão afetadas. O método busca produzir sucesso em todas as áreas da vida da pessoa.

Autoconhecimento: a chave para lidar com pessoas | 61

GRUPO 01

- DETERMINADO(A)
- PRECISO(A)
- CONSISTENTE
- CONFIANTE

AVANÇAR

Em seguida, na segunda etapa, aparecem os mesmos 10 grupos de 4 palavras, mas, dessa vez, você deve ordená-los pensando em *como gostaria de ser para ter melhores resultados*. Juntas, essas duas fases duram, em média, 10 minutos.

Na terceira etapa, aparecem 10 grupos com 6 frases cada um, e você deve ordená-los hierarquicamente começando do que é mais importante para você (que deve ficar no topo) indo até o que é menos importante, que deve aparecer em último lugar.

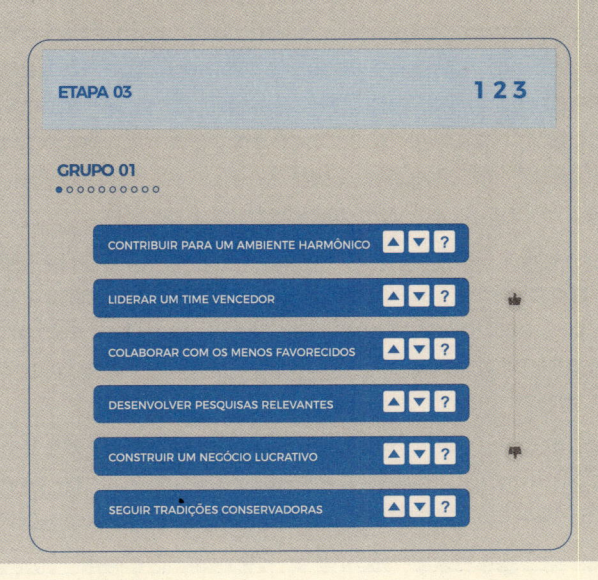

ETAPA 03   1 2 3

GRUPO 01

- CONTRIBUIR PARA UM AMBIENTE HARMÔNICO
- LIDERAR UM TIME VENCEDOR
- COLABORAR COM OS MENOS FAVORECIDOS
- DESENVOLVER PESQUISAS RELEVANTES
- CONSTRUIR UM NEGÓCIO LUCRATIVO
- SEGUIR TRADIÇÕES CONSERVADORAS

> **Faça sua análise!**
>
> Nós disponibilizamos para você, leitor, uma versão simplificada e gratuita do relatório, que chamamos de "análise de degustação". Acesse http://cisassessment.com.br/degustacao/decifrepessoas e responda ao inventário. A leitura do livro ficará muito mais interessante se você já souber como o CIS Assessment funciona e qual o seu perfil comportamental.

Você deve estar se perguntando: então eu preciso ter o CIS Assessment de todas as pessoas do meu convívio para conseguir decifrá-las e lidar melhor com elas? Não. Com o conhecimento que oferecemos neste livro, você será capaz de entender as pessoas, mapeá-las e decifrá-las, mesmo sem ter o CIS Assessment de cada uma delas. No entanto, só é possível ter uma análise e um mapeamento realmente precisos e profundos com o uso do software.

O CIS Assessment proporciona uma outra conexão com quem divide o seu lar, com as pessoas no seu trabalho e também uma compreensão primal sobre si mesmo. Por que você age assim na empresa? Por que você empreendeu ou por que não empreendeu? Por que planejou tanto e não agiu? Ou por que foi impaciente e agiu sem pensar?

Quantas vezes você teve dificuldade com a própria personalidade? Dificuldade para lidar com circunstâncias ou pessoas? Talvez você seja do tipo que diz: "Mas eu estou certo. É assim que tem que acontecer", e não perceba que a sua forma de agir pode não funcionar para todos.

A chave para se comunicar com o próximo está em não tentar mudá-lo, mas mudar a si mesmo. Para isso, você precisa ser um profundo conhecedor da sua alma e dos seus comportamentos. Esse é o maior convite deste livro.

2

OS FATORES BÁSICOS DO COMPORTAMENTO HUMANO:

COMO AS PESSOAS PENSAM, AGEM E INTERAGEM

Apresentamos neste capítulo a Teoria DISC, método criado por William Moulton Marston. Em conjunto com os Tipos Psicológicos, de Carl Gustav Jung, e com a Teoria dos Valores, de Eduard Spranger (que veremos nos próximos capítulos), dá sustentação à metodologia usada no mapeamento de perfil comportamental do CIS Assessment.

Se você pudesse escolher, preferiria ser feliz ou ter razão? Pense bem. Você tem uma discussão com o seu filho, uma discussão de família, por algo banal. Nesse momento você se exalta e, por sua vez, seu filho ou sua filha também se exalta, e ambos começam a falar coisas que já não pertencem mais àquele fato sobre o qual discutiam. No entanto, essas palavras, ditas fora de hora, acabam deixando marcas e, às vezes, até algum rancor. Numa situação dessas, e passado algum tempo, a mais comum das perguntas é: quem tinha razão, afinal? Uma pergunta bem simples e objetiva, e que deve, portanto, revelar o culpado por tal situação.

Você já passou por momentos como esses?

Pense em seu esposo ou em sua companheira. Quantas vezes vocês discutiram por coisas banais, acabaram se desentendendo e depois de algum tempo, com a cabeça fria, fizeram a fatídica pergunta: afinal, quem tinha razão? A situação então era analisada de um ponto de vista frio e distante, quase como se o conflito pudesse ser solucionado como uma equação matemática. Como se tratava de dois adultos, "gente civilizada e de bom senso", reconhecia-se a culpa, pediam-se desculpas e tudo voltava ao normal.

Fim do conflito? Não!

Por uma razão: se você não conhece o outro, não compreende a forma dele de ver o mundo, não entende o que o seu filho diz ou não tem ideia das necessidades e desejos da(o) sua(eu) companheira(o), o conflito irá se repetir, porque ele nunca se resolve apenas com um pedido de desculpas, e muito menos com a identificação de um culpado. Afinal, frequentemente, as pessoas estão olhando para as mesmas coisas e vendo realidades opostas. Não existe o certo e o errado, mas sim compreensões e percepções divergentes dos mesmos aspectos. As frequentes discussões entre casais, assim como seguidos conflitos no trabalho, são na verdade sintomas que se repetem e nunca se resolvem quando as pessoas apenas entram em um acordo superficial, sem entender, de fato, o que motivou a discussão.

Como se o mau humor ou uma fechada no trânsito pudessem desencadear tempestades emocionais e conflitos de geração.

Na verdade, esses pequenos incidentes são apenas desculpas para que toda uma frustração e descontentamento com a vida ou com pessoas (próximas e queridas) venha à tona. São desculpas-gatilho, que desencadeiam impulsos reprimidos e sentimentos que estão fora de lugar.

Se essas situações são recorrentes em sua vida, e se você sofre por ter que demonstrar o tempo todo quem afinal está certo nessas histórias, parece que descobrir quem tem razão não está resolvendo o problema.

Novamente perguntamos: se pudesse escolher, você preferiria ter razão ou ser feliz?

Vamos ampliar um pouco mais esses conceitos de "ter razão" e "ser feliz". Leia as frases abaixo:

- ▶ Ter razão pode significar estar sempre certo, a qualquer custo. É fazer valer suas verdades, mesmo que isso machuque ou magoe pessoas queridas.
- ▶ 2. Ser feliz pode significar viver em harmonia, ter a capacidade de compreender os outros, dar-lhes oportunidades de crescimento – sem que necessariamente você abra mão dos seus valores.

Qual dessas frases melhor descreve o seu comportamento no dia a dia?

Com qual delas você se sentiria mais satisfeito em sua vida?

A ideia de ser feliz não tem nada a ver com iludir-se. Assim como ter razão não significa necessariamente estar sempre certo. Por que dizemos isso? Porque, se não conhecemos as pessoas com as quais nos relacionamos, nossas análises sempre serão superficiais e baseadas apenas em dados da realidade imediata ou em aspectos que não estamos sabendo interpretar adequadamente.

É possível que, ao se dar conta de que ter razão é insuficiente para ser feliz, você se sensibilize e tente repensar algumas atitudes. Mas alertamos: tomar essa decisão é fundamental, mas, por si só, não basta. Conhecer e decifrar pessoas exige dedicação e interesse genuíno por elas. Entender o que os outros estão nos comunicando é decisivo para o sucesso de uma relação. Isso em todos os âmbitos: familiar, profissional, social etc. Para tanto, é preciso aprender e saber o que está por trás dos comportamentos e das expressões humanas. E o primeiro passo é precisamente este: conhecer a si mesmo. Então, vamos lá!

OS QUATRO FATORES DO COMPORTAMENTO

Não é de hoje que o comportamento humano intriga e fascina estudiosos, líderes e interessados em ter relações interpessoais com mais qualidade. Mas por que temos tanto interesse em compreender o modo como as pessoas agem, pensam e decidem?

O primeiro registro que temos disponível desse interesse vem da Grécia antiga, cerca de 500 a.C., quando começou a ser formulada a Teoria dos Humores. Um dos filósofos mais notáveis desse período foi Empédocles, que sugeriu pela primeira vez que os elementos essenciais da natureza eram responsáveis por influenciar o nosso temperamento. De acordo com a teoria que ele propunha, os elementos externos conhecidos como Terra, Fogo, Água e Ar interferiam diretamente na forma como agíamos no mundo.

> *A ideia de ser feliz não tem nada a ver com iludir-se. Assim como ter razão não significa necessariamente estar sempre certo.*

Um pouco mais à frente, em 370 a.C., Hipócrates, o pai da Medicina, propôs que o nosso temperamento era determinado pelo equilíbrio de quatro fluidos corpóreos: o *sangue*, a *bile negra*, a *bile amarela* e a *fleuma*.

Para Hipócrates:

▶ Se o *sangue* fosse o fluido predominante, o indivíduo teria o "temperamento sanguíneo", de reações rápidas, e seria do tipo "alegre" ou agitado.

▶ Se fosse a *bile negra* o fluido predominante, o indivíduo teria o temperamento melancólico, de reações lentas e intensas, e seria do tipo "triste".

▶ Se fosse a *bile amarela* o fluido predominante, o indivíduo teria o temperamento colérico, de reações rápidas e intensas, e seria do tipo "entusiasmado".

▶ Se fosse a *fleuma* o fluido predominante, o indivíduo teria o temperamento fleumático, de reações fracas e lentas, e seria do tipo "calmo".

Na Roma antiga, o médico Cláudio Galeno (130-210 d.C.), um grande estudioso de Hipócrates, deu um importante passo ao conceituar a formação dos fluidos proposta por Hipócrates. Para ele, a boa saúde dependia do equilíbrio dos quatro humores corporais, ou da *temperare* (de onde surge o termo *temperamento*). O excesso de um dos humores provocaria doenças no corpo e graves distorções na personalidade.

É fácil notar ao longo do tempo um desenvolvimento na formulação da Teoria dos Humores ou dos Temperamentos. Certamente você ou algum conhecido seu será capaz de reconhecer um pouco de si em cada uma dessas definições. Mas elas ainda são parciais, e, apesar de apontarem um caminho bem próximo do que os estudos comprovariam no futuro, não davam conta da dimensão e das nuances do comportamento humano. Só muito tempo depois, como veremos, esses conceitos começaram a ganhar corpo, novas definições e fundamentos científicos. Foram precisos quase 2.000 anos para chegarmos a uma teoria sólida e abrangente como o DISC.

Entendendo a si mesmo para entender os outros

Apesar de todo o conhecimento acumulado ao longo de tantos anos, não é exagero dizer que ainda hoje nos deparamos com questões de perfil comportamental que muitas vezes nos desorientam ou nos surpreendem. Algo que parece reforçar aquele ditado que diz que "de médico e louco todo mundo tem um pouco". Se isso não é uma verdade definitiva, está muito perto da ideia de como nós, seres humanos, nos comportamos.

Também não precisamos ir muito longe para constatar isso. Basta dar uma olhada em nós mesmos, algo que cabe numa simples pergunta:

Será que você se conhece realmente?

De modo geral, todos sabemos mais ou menos o que nos agrada e o que nos incomoda. Isso certamente não é diferente com você. Poucos, porém, sabem a razão de isto ser assim, por que aceitamos certas pessoas ou condições e detestamos outras. E muito menos são os que conseguem se ver e se entender de modo organizado, isto é, dentro de um sistema que segue certas regras e pode, justamente por isso, ser mais ou menos previsível.

Diante disso, trazemos a seguir um questionário indispensável para o seu autoconhecimento. São perguntas simples, e suas respostas vão dizer muito sobre sua personalidade. Se você se propuser a responder com sinceridade, refletindo sobre o que está dizendo, não tenha dúvidas de que estará dando um enorme passo para se autoconhecer – o que já é meio caminho para aprender a decifrar os outros.

1. Quais são suas maiores qualidades?
___
___
___

2. E seus maiores defeitos? Ou, digamos, pontos que poderiam melhorar?
___
___
___

3. Como você encara os seus desafios?
___
___
___

4. O que tira você do sério?
___
___
___

5. Você é melhor em falar ou em ouvir? Por quê?
___
___
___

6. E se você pudesse explorar 100% das suas potencialidades? Quem você seria?
___
___
___

7. Afinal, quem é você?

_____
_____
_____

CONHEÇA A TEORIA DISC NA PRÁTICA

Desenvolvida por William Moulton Marston (1893-1947), a Teoria DISC é a metodologia mais usada hoje no mundo para compreender o comportamento das pessoas. Já nesse primeiro contato com o DISC você será capaz de identificar certos padrões comportamentais e começar a ter uma ideia mais clara do que significa, afinal, entender de gente. Vamos lá!

> "Não há nada essencial no interior que não seja ao mesmo tempo percebido no exterior."
>
> *Hugo Hofmannsthal*

Em 1928, o advogado e doutor em Psicologia, PhD por Harvard, William Moulton Marston, então com 35 anos de idade, apresentou um método de compreensão dos padrões de comportamento no livro *As emoções das pessoas normais*. O título deixava claro que seus estudos não se propunham a fazer uma análise de certos distúrbios mentais (psicopatologias), mas sim entender as emoções cotidianas de pessoas comuns.

Bem antes disso, Marston recebeu um financiamento do exército norte-americano para suas pesquisas. A instituição queria entender por que os soldados respondiam de maneira diferente aos comandos dos superiores. A pesquisa de Marston mostrou que o segredo para compreender essas diferenças estava na relação estímulo-resposta, isto é, pessoas diferentes respondem de maneiras distintas a um mesmo estímulo. Isso pode parecer meio óbvio hoje, mas naquela época havia muita controvérsia. Esse foi o ponto de partida dos estudos de Marston.

Depois de analisar os padrões de comportamento e as reações instintivas de milhares de pessoas, ele classificou o comportamento humano como o somatório de quatro fatores básicos, que viriam a formar o acrônimo DISC:

- ▶ *Dominance* (**D**ominância) > Exercer controle sobre; predominar.
- ▶ *Influence* (**I**nfluência) > Influenciar uma ação; persuadir.
- ▶ *Steadiness* (e**S**tabilidade) > Manter-se constante; estável.
- ▶ *Conscientiousness* (**C**onformidade) > Agir de acordo; conforme.

No quadro a seguir, ilustramos esses fatores básicos de comportamento humano:

```
                    Conexões
                       ↑
         INFLUÊNCIA    |   ESTABILIDADE
          Influence    |    Steadiness
  Falar ←──────────────┼──────────────→ Ouvir
         DOMINÂNCIA    |   CONFORMIDADE
          Dominance    | Conscientiousness
                       ↓
                    Resultados
```

A figura permite uma série de leituras, e nos dá uma boa ideia – e muitas informações – sobre como Marston estudou o comportamento humano. Observe na ilustração a seta que divide a figura na horizontal. Note que do lado esquerdo temos pessoas que sentem necessidade de falar e influenciar outras, seja pelo poder de decidir, seja pela capacidade de argumentação e pelo convencimento. Do lado oposto (direito), encontramos indivíduos que preferem ouvir a falar, que sentem menor necessidade de influenciar os outros, em geral, preferem ajustar o seu comportamento às pessoas, regras e ambientes a ter que influenciá-los.

Agora observe a linha que corta a figura, na vertical. Acima estão indivíduos que se voltam para as conexões (pessoas e relacionamentos), ou seja, que valorizam a interação social. Já na parte de baixo estão aqueles mais voltados para resultados, números, dados, tarefas etc. São pessoas que apreciam bem menos a interação social. Isso, é claro, não quer dizer que esses indivíduos não gostam de pessoas, mas apenas que não sentem necessidade de estar frequentemente interagindo com elas.

No quadrante inferior esquerdo encontramos o fator de **Dominância** (ou *Dominance*, em inglês). É nesse espaço que se encontram pessoas cuja necessidade de influenciar se volta para ação e resultados. Quem apresenta esse fator básico de comportamento valoriza muito o poder de decidir, seja sobre suas próprias ações, seja sobre as ações de terceiros.

> Exemplo:
> Sabe aquele seu chefe que pede tudo para ontem, e com a máxima urgência? Certamente ele tem o fator Dominante em seu perfil.

No quadrante superior esquerdo encontramos o fator de **Influência** (ou *Influence*, em inglês). Aqui estão os indivíduos cuja necessidade de influenciar está voltada para a conexão com muitas pessoas. Aqueles que apresentam esse fator gostam de influenciar a partir da persuasão, pois valorizam o diálogo e a interação social.

> Exemplo:
> O seu colega entusiasmado, divertido e otimista, às vezes sonhador, e sempre de bom humor, pode ter o fator Influente em seu perfil.

No quadrante superior direito encontramos o fator de **eStabilidade** (ou *Steadiness*, em inglês). O perfil do indivíduo nesse espaço revela preferência por ouvir, ser empático e tolerante a ter de convencer os outros. São pessoas que escutam mais do que falam, avaliam, ponderam. O nome desse fator é *estabilidade* porque se refere a pessoas de comportamento calmo, ritmo próprio (e constante) e que gostam de previsibilidade.

> Exemplo:
> Aquele amigo sincero, sempre disposto a ouvir, leal e apaziguador, muito possivelmente tem o fator eStável em seu perfil.

No quadrante inferior direito temos o perfil de **Conformidade** (ou *Conscientiousness*, em inglês). Aqui, o comportamento do indivíduo se volta para a entrega com qualidade. No entanto, é nítida a preferência desses indivíduos por ajustar o seu comportamento ao ambiente e a pessoas, em vez de influenciá-los. Em geral, buscam agir conforme as regras e os padrões preestabelecidos, e valorizam as normas, sempre seguindo-as à risca.

> Exemplo:
> Aquele funcionário atento, organizado, sistemático e pontual com qual o você sempre conta num aperto pode ter o fator Conformidade em seu perfil.

O essencial de cada perfil

Ao estudar e pesquisar milhares de pessoas comuns, Marston observou que a população adulta apresentava esses quatro fatores de maneira consistente e duradoura. Ou seja, todos nós temos os quatro fatores em nosso comportamento. Porém, se o fator

Conformidade for mais evidente em um indivíduo, é provável que ele apresente as características comportamentais desse fator por toda a sua vida. O mesmo vai ocorrer com os demais fatores: *Dominância*, *Influência* e *eStabilidade*. Entretanto, ainda que apenas um dos fatores se destaque, o fato de possuirmos os outros três significa que poderemos aprimorar certas características presentes nesses outros fatores, ou até mesmo atenuar certos traços muito evidentes em nosso fator predominante.

Enfim, é possível a qualquer pessoa que conheça o próprio perfil desenvolver certas qualidades, aprendendo a usar melhor seus aspectos comportamentais positivos, e a ajustar os eventualmente negativos.

O método DISC avalia comportamentos relativamente fáceis de serem percebidos. É possível identificar quais fatores estão mais presentes em alguém apenas observando como essa pessoa gesticula, por seu modo de andar e falar, como se expressa quando está negociando, como expõe suas opiniões ou como reage às críticas ou aos elogios que recebe.

Podemos imaginar que o perfil comportamental de uma pessoa seja o resultado de uma receita composta desses quatro ingredientes, ou seja, dos fatores que compõem o seu perfil de comportamento. Na medida em que somos diferentes uns dos outros, cada pessoa apresentará diferentes proporções de cada um desses quatro elementos. E em consequência terá diferentes modos de expressar o seu comportamento. Cada pessoa, no entanto, terá sempre um ingrediente em maior quantidade que os outros. É justamente esse ingrediente mais frequente que irá indicar o fator de predominância no indivíduo. Mas ele também terá em si os outros elementos, em diferentes proporções. Assim, algumas "receitas" levarão muito mais *Dominância*; outras, uma quantidade menor ou maior de *Influência*; e outras, talvez apenas uma pitada de *Estabilidade* ou *Conformidade*. No conjunto, a intensidade de cada componente fará toda a diferença no resultado final, isto é, na forma como essa pessoa irá expressar o seu comportamento. Você já pode imaginar os diferentes resultados advindos dessas combinações. São realmente incríveis! Mas, antes de começar a misturar esses "sabores", vamos primeiro conhecer os ingredientes um a um, sua formulação, características, possibilidades. Veremos a essência de cada um dos quatro fatores para entendermos separadamente suas particularidades. Cada pessoa é única, é verdade, mas, ainda assim, cada qual pertence a um grupo com padrões comportamentais similares e bem definidos, os quais há muito vêm sendo estudados.

É possível a qualquer pessoa que conheça o próprio perfil desenvolver certas qualidades, aprendendo a usar melhor seus aspectos comportamentais positivos, e a ajustar os eventualmente negativos.

Então, vamos lá!

FATOR *DOMINÂNCIA* (D)

Dominância (D) é o fator do controle e da assertividade. É o traço que indica como uma pessoa lida ou tenta superar adversidades, obstáculos e desafios. Pessoas com alta intensidade do Fator "D" (Alto D) são diretas, ousadas, competitivas e lutam energicamente para atingir os resultados que desejam. Elas acreditam ser necessário estar no controle e na posição de *dominância* para conseguirem provar o seu valor e serem reconhecidas.

Os *dominantes* geralmente são determinados e decididos, com alta capacidade de concentração e muito foco no trabalho, principalmente nos objetivos e resultados. Na maior parte das vezes, tendem a não levar em consideração os aspectos emocionais e sentimentais que rodeiam os seus relacionamentos, os quais, em geral, são construídos sem muita intimidade. Esse aspecto, juntamente com a maneira firme e enérgica com que se posicionam, pode causar nos outros a impressão de que os dominantes são pessoas duras, frias e autoritárias. Mas nem sempre isso é verdade.

Para um *dominante*, o desejo de ganhar é sempre maior do que o medo de perder. Por isso agem de maneira intensa, decidem rápido e gostam de assumir riscos, sendo capazes de usar todas as suas habilidades para conquistar os resultados almejados.

Ter o controle da situação, como dissemos, é muito importante para o *dominante*. Nessa condição, ele pode adotar posturas rígidas e impor convicções, trabalhando de modo ostensivo e de maneira extremada para superar todos os desafios.

Características de essência do Fator "D"

- ▶ Gostam de desafios e agem de modo determinado para a conquista de resultados e objetivos.
- ▶ Precisam de autonomia e de posições que lhes permitam visualizar oportunidades de crescimento.
- ▶ Sentem-se confortáveis e muito confiantes para assumir posições de comando e liderança.
- ▶ Lidam bem com situações de risco e pressão, sobretudo onde é necessário decidir rápido.

Como reconhecer um Dominante?

A palavra-chave que revela se uma pessoa possui um comportamento com alta intensidade do Fator D é *intolerância*. Se algo incomoda um *Dominante*, ele não terá "papas na língua", como se diz, e nem freios para falar em alto e bom som do seu desconforto, ou que está insatisfeito. E apontará sem subterfúgios qual o motivo da insatisfação, doa a quem doer. Se um dominante discorda de você, ele dirá isso, antes mesmo que você pergunte. E da forma mais direta possível.

Ter o controle da situação, como dissemos, é muito importante para o dominante.

Também são pessoas com senso de urgência muito aguçado. Tudo é "para ontem". Portanto, sua intolerância e impaciência também podem ser percebidas quando precisam lidar com alguém cujo ritmo é mais lento ou que necessite de muitos dados e muitas explicações para realizar algo.

A intolerância de uma pessoa com a caraterística de *Dominância* muitas vezes é percebida por meio da raiva. Quase sempre são pessoas com pavio curto, que tendem a se exaltar com facilidade. A raiva do *dominante* pode ser vista como uma potência para a ação, uma ferocidade nata, uma chama que o impulsiona a perseguir incansavelmente os objetivos. Se esse indivíduo tem noção ou consciência do impacto que esses seus impulsos provocam, ele poderá controlar e canalizar esse sentimento de raiva para usá-lo a seu favor, e no momento adequado. Mas, se não tem essa consciência, esse sentimento será extremamente tóxico tanto para ele como para as pessoas que o cercam.

Imagine que essa raiva seja uma chama. Quando o dominante controla essa chama, o fogo que ele produz mantém todos a seu redor aquecidos; quando ele não a controla, essa chama queima quem estiver a seu alcance – e isso pode se transformar em um incêndio.

Faz algum tempo, um comercial de pneus nos deu uma boa imagem sobre o que significa ter controle sobre nossas atitudes. A cena se passa da seguinte maneira: um carro vem em alta velocidade na pista molhada e, logo depois de uma curva, encontra um caminhão passando lentamente. O motorista se assusta, mas consegue frear a tempo de tal modo que o carro para a pouquíssimos metros do caminhão, sem bater, apesar da pista molhada. Então o motorista enfurecido sai do carro para tirar satisfação com o motorista do caminhão. Mal dá dois passos e escorrega na pista. Surge, então, o slogan da empresa: "Potência não é nada sem controle".

Se você se identificou com essas características, o quanto sua vida tem girado em torno de demandas urgentes?

Sem dúvida, a intolerância e a raiva servem de termômetros para percebermos se uma pessoa tem como fator predominante a *Dominância*. Mas outras características também podem ser observadas, como a comunicação verbal e a não verbal.

Aqui vai um detalhe interessante para você pensar: é comum que pessoas com fator *Dominância* ocupem situações de liderança. Mas isso não significa dizer que todo líder tem o fator *Dominância* como característica predominante.

Variações na intensidade da Dominância

Como dissemos acima, cada um de nós possui os quatro fatores, porém em intensidades diferentes. Ressaltamos aqui (e falaremos mais à frente sobre isso) que não há vantagem ou desvantagem alguma em sermos identificados como pessoas com alta intensidade do fator D – Alto D – ou baixa intensidade do fator – Baixo D. Estamos apenas buscando encontrar quais são os componentes do perfil da pessoa – e em que posição ela poderá ser encontrada numa escala entre um Alto D e um Baixo D.[7]

Isso vale para todos os perfis DISC: *Dominante*, *Influente*, *eStável* e *Conforme*.

Um dado interessante a ser considerado é que, quanto mais intenso um fator, maiores são as chances de um indivíduo ser reconhecido por seus defeitos – e não por suas qualidades. Sabe quando você compra um aparelho de som e avalia a potência das caixas que o acompanham? Quanto maior a amplitude da potência, melhor, não é verdade? No entanto, nos volumes extremos, sempre haverá risco de distorção, sobretudo se o som não estiver adequado ao ambiente em que for instalado. Portanto, quanto mais alta a intensidade do fator "D" – extremamente alto –, maior será a probabilidade de o indivíduo apresentar, entre outros, os seguintes comportamentos:

---

[7] Caso você queira saber qual o seu nível exato dos fatores DISC, acesse o site: <www.cisassessment.com.br/degustacao/decifrepessoas>.

- Impaciência.
- Agressividade.
- Individualismo.
- Arrogância.
- Tendência a ser controlador.
- Ambição e competitividade exageradas.
- Inacessibilidade.
- Egocentrismo.
- Frieza e aspereza.
- Rigidez.
- Sarcasmo.
- Tendência a ser vingativo.

Vamos agora esclarecer algumas coisas. Quando falamos de teorias do comportamento, estamos falando de **modelos teóricos**. Uma pessoa com alta intensidade do fator *Dominante*, por exemplo, não irá apresentar obrigatoriamente todas essas características. Ainda que haja alguma identificação (e certamente haverá), será possível trabalhar isso, desenvolver ou atenuar algumas delas. Afinal, não somos reféns do nosso perfil comportamental!

A partir do momento em que você toma consciência de quais comportamentos precisa melhorar, está em suas mãos mudar de atitude, amenizar este ou aquele traço mais evidente, enfatizar outros etc. A partir do autoconhecimento, o melhor caminho para essa mudança é trabalhar e desenvolver aspectos de sua inteligência emocional (falaremos mais adiante sobre isso), por meio do Coaching Integral Sistêmico.

De modo geral, pessoas com dominância muito alta tendem a se expressar de maneira muito intensa. Justamente por isso, aquilo que poderia ser inicialmente uma qualidade ou uma vantagem comportamental poderá se transformar num defeito. De qualquer modo, ainda que estes sejam traços gerais, é bom estar atento a eles e, na medida do possível, atenuar eventuais efeitos negativos. Observe o quadro a seguir para ter ideia sobre o que trabalhar e desenvolver em casos assim.

Comportamentos que devem ser desenvolvidos em pessoas com alta intensidade do fator Dominância	
Se você é...	O que poderia mudar?
Autoritário, dominador, impositivo:	Seja mais justo, democrático e mais paciente em suas decisões.
Inflexível e parcial – sempre decide em detrimento de apenas um lado:	Busque ser mais conciliador; tente agregar diferentes pontos de vista.
Individualista, egocêntrico, fechado:	Tente se abrir mais às ideias e opiniões dos outros.
Obstinado, insistente, teimoso:	Busque ouvir mais antes de tirar conclusões.
Imperioso, arrogante:	Em vez de impor suas ideias, discuta-as com seus pares, e seja mais cuidadoso ao explicar os "porquês" de suas propostas.
Concentrador, (sente-se) infalível e inquestionável:	Procure o consenso entre os integrantes da equipe na tomada de decisão. Isso os ajudará a aderir a sua causa.
Sente-se absoluto, quase despótico:	Observe a hierarquia da empresa, e evite atropelar a autoridade.
Expansivo, extrovertido, excessivamente confiante:	Seja mais cauteloso com o seu tom de voz e com a linguagem corporal para evitar passar um tom de agressividade.
Reservado, solitário, sente-se como um herói ou salvador:	Tente agir com mais empatia, abra espaço para a participação de seus colegas.

O conceito na prática

Tomar consciência é importante, mas é preciso ir além e trazer para a realidade tanto a percepção quanto o aprendizado. Assim, propomos:

1. Identifique em seu dia a dia pelo menos uma ou duas situações em que você se percebe como controlador, excessivamente confiante, teimoso etc.
_____
_____
_____

2. Que ações ou medidas você poderia tomar para melhorar esses comportamentos? (Tente identificar de modo objetivo os obstáculos que o impedem de se aprimorar – e as estratégias para superá-los.)
_____
_____
_____

3. O que seria melhor (em sua vida, no trabalho ou na família) se você pudesse mudar ou melhorar esses comportamentos?
_____
_____
_____

Medos

Um aspecto interessante no fator *Dominância*, e que muitas vezes nos ajuda a entender o que está por trás de um comportamento tão intenso e pouco flexível, são os medos que assombram, às vezes de maneira inconsciente, essas pessoas. Reforçamos aqui que os traços identificados nesse perfil são aspectos gerais, indicam tendências e são modificáveis à medida que a pessoa se dá conta deles e se dispõe a desenvolvê-los.

Indivíduos com predominância do fator *Dominante* têm medo de:

- ▶ Falhar.
- ▶ Perder o poder e a autoridade.
- ▶ Perder a autonomia e a liberdade de agir.
- ▶ Se submeter ou subordinar-se a alguém.

- Perder posição para outra pessoa (competitivos).
- Reconhecer os próprios erros.

Quando a pessoa se torna refém desse tipo de medo, toda sua atuação fica comprometida. São sentimentos difíceis de dominar, pois envolvem questionamentos interiores para os quais nem sempre essas pessoas estão preparadas. No entanto, é fundamental desvendá-los, descobrir o que está por trás de comportamentos que destoam ou se excedem, prejudicando e impedindo que a pessoa desenvolva suas potencialidades e supere esses obstáculos.

Perfil nas organizações

E qual seria a melhor adequação deste perfil nas organizações?

Pelas características do fator D, o ideal seriam funções em que a busca por resultados é decisiva – como situações em que há possibilidade de fechar novos negócios ou de alcançar metas desafiadoras. Também são atraentes situações que envolvam uma gestão dinâmica, com o envolvimento de várias pessoas e atividades. Algumas condições também são apreciáveis para os *Dominantes*: desafios e realizações mensuráveis, independência, iniciativa, risco, competição, entusiasmo, energia e situações que lhes permitam desenvolver autoconfiança.

Encaixam-se, sobretudo, em atividades nas quais podem gerir outras pessoas e trabalhar com autonomia. Mas aqui um alerta: de modo geral, eles apresentam alguma dificuldade em trabalhar com atividades muito metódicas, e que dependam de observação meticulosa. Justamente porque têm um perfil muito despojado e dinâmico.

Mesmo quando estão atuando no lugar certo, ocupando o espaço em que podem exercer plenamente suas qualidades, vale dizer que sempre é fundamental aprimorar o perfil.

O estilo de liderança do dominante é o executivo.

Principais características e pontos fortes

▶ Possuem dinamismo nas relações interpessoais e facilidade para comandar pessoas, demonstrando autoconfiança e posicionamento firme. São propensos a mudanças e rápidas tomadas de decisões, por isso se expõem mais aos riscos, mas são sempre determinados e focados nos objetivos com máxima urgência para entrega dos resultados.

▶ Ousados e com ritmo acelerado, estão quase sempre em busca de grandes realizações. São exigentes e apontam possíveis falhas, no que diz respeito à solução de problemas e desafios. Lidam bem com situações de pressão.

▶ São visionários, gostam de inovações e, quando otimistas, seu ritmo e energia podem motivar a equipe, podendo alcançar um equilíbrio entre qualidade e velocidade para chegar aos resultados e padrões exigidos externa e internamente.

Possíveis comportamentos a serem trabalhados

▶ Por serem mais enérgicos e autoritários, podem agir com agressividade na busca dos objetivos da equipe. Com tendência a serem inflexíveis e fechados a opiniões alheias, podem se comportar de maneira individualista e não pensar no grupo.

▶ Por terem um ritmo muito acelerado, podem agir com impaciência, impulsividade e nervosismo com pessoas mais lentas do que eles. É importante que saibam dosar seu nível de rigidez e exigência já que passam mais ordens do que instruções. Com tendência a serem mais questionadores, podem se concentrar muito mais nas falhas da equipe e esquecer de reconhecer e valorizar os acertos.

▶ Podem agir com excesso de competitividade e certa insensibilidade às necessidades e sentimentos alheios, podendo desmotivar as equipes por conta do seu ritmo muito forte. Caso não tomem cuidado em relação aos seus limites físicos e psicológicos, podem ser levados a um alto nível de estresse ou até mesmo a influenciar negativamente seus liderados.

Perfis públicos

Veja alguns exemplos de pessoas públicas que demonstram ou demonstraram a *Dominância* como característica predominante:

▶ *Steve Jobs* – inventor, empresário e magnata americano no setor da informática, notabilizou-se como cofundador, presidente e diretor executivo da Apple Inc.

▶ *Roberto Justus* – publicitário, empresário e apresentador de televisão. É *chairman* do Grupo Newcomm, holding das agências Y&R e Grey Brasil, entre outras.

▶ *Margaret Thatcher* – política britânica, primeira-ministra do Reino Unido (1979 a 1990), ficou conhecida como a "dama de ferro".

▶ *Donald Trump* – empresário, apresentador de TV e atual presidente dos Estados Unidos

▶ *Deibson Silva* – CEO e cofundador do CIS Assessment, cientista comportamental e coautor deste livro.

São notáveis, mesmo a distância, os traços do fator *Dominante* nessas figuras públicas. É claro que não estamos aqui querendo discutir se suas ações, declarações ou feitos são corretos ou não. Apenas queremos mostrar a você quão destacadas são suas expressões no mundo e no ambiente em que atuam. É bem provável que, depois de conhecer os aspectos que caracterizam o fator *Dominância*, você seja capaz de avaliar-se nesse quesito e identificar esses pontos em outras pessoas.

Quadro-resumo	
DOMINÂNCIA	
É o fator do controle e da assertividade. Indica como você lida com adversidades e desafios.	
Palavra-chave	Intolerância
Emoção	Raiva
Motivador	Desafio/Poder
Comunicação	Direta/Objetiva
Valor para a empresa	Comando/Iniciativa
Tomada de decisão	Racional/Rápida

Descrição de uma personalidade dominante – Bernardinho

Bernardo Rocha de Rezende, ex-jogador e ex-treinador, Bernardinho tem o perfil de uma pessoa extremamente competitiva. Seu estilo direto e enérgico com as palavras o diferenciou pelo modo como liderava as equipes dentro e fora das quadras. Perfeccionista ao extremo, sempre cobrou excessivamente seus atletas para tirá-los da "zona de conforto", com o objetivo de extrair o máximo de cada um.

Como treinador, é um dos maiores campeões da história do voleibol e, em 22 anos de carreira no comando das seleções brasileiras masculina e feminina, acumulou mais de 30 títulos importantes, entre medalhas olímpicas e campeonatos mundiais.

FATOR *INFLUÊNCIA* (I)

Influência (I) é o fator da comunicação e da sociabilidade. Indica como você lida com pessoas e como pode influenciá-las e persuadi-las. Indivíduos com alta intensidade do Fator "I" são radiantes, otimistas, extrovertidos, sociáveis, calorosos e abertos com os outros. Não gostam de passar despercebidos, precisam do contato interpessoal, trabalham muito bem em equipe e contagiam as pessoas com seu entusiasmo, contribuindo para manter a positividade do ambiente. São também criativos e ágeis em suas ações, adoram expressar ideias e raramente se permitem ficar entediados. Situações rotineiras, definitivamente, não fazem parte de suas preferências, pois a natureza ativa dessas pessoas está sempre em buscar o novo e viver o presente – se possível, sempre de maneira nova.

O desejo por prestígio e aprovação social é muito forte. Um *Influente*, por exemplo, valoriza o status, gosta de ser reconhecido e homenageado por amigos e familiares, e de sentir que é importante. Interagir também é uma motivação do indivíduo com alta influência. Ele deseja participar de tudo e ser querido por todos. A necessidade de interagir e influenciar, somada ao desejo de ser querido, proporciona a pessoas com perfil *Influente* maior facilidade para falar e convencer os outros sobre o seu ponto de vista.

Características de essência do Fator "I"

- ▶ Gostam de fazer parte de grupos e têm necessidade de desenvolver novos relacionamentos.
- ▶ Possuem habilidades de comunicação e persuasão; sua rede de contatos (*network*) é fundamental para conseguirem o que querem – por isso eles a alimentam o máximo que podem.
- ▶ São pessoas criativas e sempre estão em busca de maneiras diferentes de fazer as coisas.
- ▶ São otimistas, entusiastas e, em geral, têm muita facilidade para expressar suas emoções.

Como reconhecer um Influente?

De modo geral, pessoas definidas com o Fator "I" possuem grande capacidade de comunicação. Justamente por isso – e também por gostarem muito de usar essa habilidade –, tendem a ser bastante persuasivas, num grau às vezes até exagerado. A palavra-chave desse perfil é "sociável". Decorre daí, naturalmente, a facilidade com que eles influenciam aqueles que os cercam. Assim, é relativamente fácil reconhecer pessoas com essas características, pois são bastante animadas, positivas – transbordam energia. Outro aspecto marcante é a capacidade de socialização desse perfil. Pessoas assim definidas tendem a buscar o convívio amistoso em diferentes círculos sociais, aos quais se integram e interagem. Buscam reconhecimento e, talvez até como uma estratégia inconsciente, valorizam muito a opinião alheia, e isso é algo bastante positivo numa relação, pois, mesmo que haja divergências, propiciam ao grupo trocas, interação e espaço para que todos possam se colocar.

Além disso, são facilmente reconhecíveis por seus modos e comportamento. Por exemplo: são o tipo de pessoa que encontramos por acaso numa fila de supermercado ou no banco, e que (aparentemente) do nada "puxa" conversa, contando sua vida, falando até dos problemas dela. E de repente, para nossa surpresa, logo está dando dicas e conselhos sobre como fazer uma melhor compra, economizar tempo, ou contando a última história engraçada ou curiosa que vivenciou.

Você certamente já encontrou pessoas assim. Ou, caso tenha se identificado com esse perfil, até aja assim. Perceber se essa é uma característica espontânea sua, ou aprender a identificá-la em outras pessoas, é importante para você saber usá-la adequadamente, estimulando esse traço quando for necessário, ou atenuando-o em situações que exigem um pouco mais de cautela.

A necessidade de interagir e influenciar, somada ao desejo de ser querido, proporciona a pessoas com perfil Influente maior facilidade para falar e convencer os outros sobre o seu ponto de vista.

Comunicar-se com pessoas desse perfil não costuma ser problema. Até porque, naturalmente, as iniciativas de comunicação quase sempre partem dos *Influentes*. No entanto, nem sempre eles estão em posição de dar início a esse processo. Se o interesse for estabelecer uma comunicação eficaz, é importante pensar em ações ou interações que possam dar atenção aos sonhos e intenções de pessoas com esse perfil. Os *Influentes*, por natureza, são sonhadores, abertos, não costumam ver com facilidade limites e obstáculos. Isso não significa que você tenha de ceder em tudo, mas, se a ideia é harmonizar o contato ou a relação, é importante reconhecer esse traço do perfil deles, conversar a respeito, às vezes até demonstrando o que pode ser viável ou inviável nas intenções do Influente.

Em momentos assim, tente não impor muitas regras nem ser frio ou abrupto em suas colocações. Ouvi-lo é sempre importante, tanto quanto ponderar seus impulsos sonhadores e às vezes abstratos demais.

No entanto, se a ideia é fortalecer uma equipe, entusiasmar pessoas e distribuir energia, os influentes são as melhores pessoas para isso.

Se você se identificou com as características do Influente, o quanto você já se prejudicou por agir por impulso, sem calcular os riscos e analisar todas as possibilidades, acreditando que tudo daria certo no final?

Variações na intensidade da Influência

Assim como ocorre nos demais perfis, quanto mais intenso for o fator *Influente*, maiores são as chances de o indivíduo ser reconhecido por seus defeitos – e não necessariamente pelas qualidades. De modo geral e característico, pessoas com esse perfil costumam ser:

- Carismáticas.
- Confiantes.
- Otimistas.
- Persuasivas.
- Articuladas.
- Criativas.
- Comunicadoras.
- Têm senso de humor.
- Motivadoras.
- Sonhadoras.
- Sedutoras.
- Expressivas.

Quando o fator é extremamente alto, as necessidades de melhoria ficam mais visíveis – da mesma forma que acontece com os outros perfis. O carisma, por exemplo, que é uma ótima característica, se transforma em exibicionismo. A confiança se transforma em autossuficiência; a persuasão, em insistência; e assim por diante. Ou seja, como dissemos, as qualidades, ao serem distorcidas, acabam virando defeitos.

Por outro lado, pessoas com baixa intensidade do fator "I" tendem a ser mais reservadas, sérias, formais e introspectivas. Quando a característica se torna um defeito, podem ainda se mostrar desconfiadas, extremamente céticas, retraídas, críticas e pessimistas.

É claro que essas são possibilidades apontadas nos modelos teóricos. Isso significa que há uma possibilidade razoável de acontecer. E, caso haja alguma identificação com essas características mais ou menos acentuadas, será possível trabalhá-las, desenvolvê-las ou atenuá-las. Afinal, estamos aqui justamente para aprender e conhecer os fundamentos do comportamento humano.

No quadro a seguir, observe como atuar em algum desses traços:

Comportamentos que devem ser desenvolvidos em pessoas com alta intensidade do fator Influência	
Se você...	O que poderia mudar?
É dispersivo ou age de maneira imprevista: →	Procure atentar mais aos detalhes.
É exibicionista, vaidoso ou se preocupa de maneira excessiva com sua imagem pessoal: →	Tente se concentrar mais em resultados do que na sua popularidade.
É expansivo, não deixa os outros falarem: →	Procure ouvir mais, tente falar menos, dê espaço para os outros também.
Não escuta os outros, se preocupa apenas com o que irá dizer: →	Dê mais atenção ao que outras pessoas estão dizendo. Ouça mais.
É impulsivo, imediatista: →	Procure agir com mais reflexão, pensando inclusive nos próximos passos quando tiver de tomar uma decisão.
É desordenado, vai misturando o que precisa ser feito, sem se preocupar muito com prioridades: →	Planeje suas metas e liste suas ações para ter maior controle e poder assim realizar mais.
Decide no calor da hora, expressa-se de modo apaixonado: →	Tente ter mais controle emocional de seus atos.
Se atrapalha e confunde prazos e prioridades: →	Seja mais cauteloso e organizado.
Quer agradar a todos, mesmo quando isso é impossível: →	É preciso aprender a dizer não.
Sempre tenta dar "um passo maior que a perna": →	Assuma apenas os compromissos que poderá cumprir.
Nem sempre cumpre o que promete: →	Dê mais atenção aos prazos e finalize o que se propõe a executar.
Perde muito tempo com distrações: →	Foque mais na realização de seus objetivos.

O conceito na prática

Tomar consciência é importante, mas é preciso ir além e trazer para a realidade tanto a percepção quanto o aprendizado. Assim, propomos:

1. Identifique em seu dia a dia pelo menos uma ou duas situações em que você se percebe como impulsivo, desordenado, querendo dar "um passo maior que a perna" etc.
_____
_____
_____

2. Que ações ou medidas você poderia tomar para melhorar esses comportamentos? (Tente identificar de modo objetivo os obstáculos que o impedem de se aprimorar – e as estratégias para superá-los.)
_____
_____
_____

3. O que seria melhor (em sua vida, no trabalho ou na família) se você pudesse mudar ou melhorar esses comportamentos?
_____
_____
_____

Medos

Como ocorre em todos os fatores, os medos e dificuldades estão quase sempre por trás dos excessos. De modo geral, são fantasmas que nos assombram – sobretudo quando nos paralisam ou nos fazem agir de modo excessivo. Nem sempre é possível eliminá-los, e num certo sentido eles até têm um lado positivo, quando nos impulsionam para a ação. Mas é fundamental identificá-los para que possamos controlá-los – e não sermos controlados por eles.

Medos comuns encontrados no fator *Influência*:

- ▶ Rejeição.
- ▶ Ficar sozinho.

- ▶ Frustrar as expectativas dos outros.
- ▶ Não ser reconhecido e valorizado (como gostaria).
- ▶ Não se sentir apoiado.
- ▶ Perder o prazer em suas ações e rotina.

Quando os impulsos de uma pessoa são gerados pelo medo da perda – e não pelo desejo de conquista –, os riscos de frustração e insatisfação são enormes no médio e longo prazos. Por isso é importante saber o que nos move em todos os âmbitos da vida.

Perfil nas organizações

E qual seria a melhor adequação do perfil *Influência* nas organizações?

Existem muitas alternativas de funções para pessoas com o perfil *Influência*. Destacam-se aquelas em que há necessidade de interação e trabalho em equipe, ou que envolvam apresentação de negócios, projetos e produtos, conquista de novos clientes, nichos de mercado e retomada de contatos com clientes antigos. Os *Influentes* também têm bons desempenhos em situações de exposição e criatividade, que envolvam sobretudo articulação social, prestígio, desenvolvimento de ideias originais, livre expressão de emoções e subjetividade, e apresentações diversas (conceitos, propostas, anúncios).

Outro aspecto muito positivo é que os *Influentes* são naturalmente articuladores. Por terem enorme capacidade de conexão, e também por serem muito bons como mediadores, suas atuações são essenciais na negociação de conflitos, ou na motivação da equipe para trabalhar determinados focos de um projeto.

O estilo de liderança do influente é o motivador.

Principais características e pontos fortes

- ▶ Costumam liderar de maneira mais descontraída, positiva e liberal. Não se prendem a regras e padrões estabelecidos.

Buscam estabelecer conexões e desenvolver uma relação de influência positiva com os seus liderados. São mais voltados para pessoas do que para coisas e preferem alcançar seus objetivos através do diálogo e dos relacionamentos.

▶ Possuem extrema facilidade para motivar suas equipes com otimismo, entusiasmo e dinamismo, o que tende a melhorar o ritmo e a aumentar a velocidade de seus liderados. Não apresentam dificuldades para delegar ações, principalmente aquelas que exijam mais concentração e atenção a detalhes.

▶ São considerados agregadores. Este estilo é geralmente mais informal nos relacionamentos e deixam o ambiente mais positivo. Quase sempre extrovertidos, são ótimos argumentadores e possuem facilidade para convencer e influenciar seus colaboradores. Intuitivos, em geral, são peritos em lidar com imprevistos e mudanças não planejadas e sempre consideram aspectos emocionais e sentimentais da equipe.

Os Influentes são naturalmente articuladores. Por terem enorme capacidade de conexão, e também por serem muito bons como mediadores, suas atuações são essenciais na negociação de conflitos, ou na motivação da equipe para trabalhar determinados focos de um projeto.

Possíveis comportamentos a serem trabalhados

▶ Por serem descontraídos, podem exagerar nas brincadeiras e também passar a imagem de líderes que falam muito e agem pouco. Tendem a não saber separar a hora de serem mais amigáveis, tratando de assuntos pessoais, quando deveriam ter uma postura mais séria para resolver assuntos relacionados ao trabalho ou aos negócios.

▶ Podem ter dificuldade para analisar informações e concluir relatórios necessários para o acompanhamento de indicadores e o bom controle dos processos de uma gestão.

▶ Possuem tendência a perder a paciência com rotinas e situações que não são do seu interesse. Não são detalhistas quanto à observância dos processos, e esse comportamento pode atrapalhar a ordem e o melhor desempenho da equipe.

▶ Pelo fato de darem maior atenção aos relacionamentos e atividades sociais, pode lhes faltar disciplina, organização, foco no planejamento e nas ações a serem executadas, apresentando dificuldades em serem mais específicos, o que pode também deixar seus colaboradores confusos sobre o que e como fazer.

Perfis públicos

Pessoas conhecidas que demonstram ou demonstraram *Influência* como característica predominante:

▶ Silvio Santos – apresentador de televisão e um dos empresários brasileiros mais bem-sucedidos.

▶ Barack Obama – político norte-americano, foi o primeiro presidente afro-americano dos Estados Unidos.

▶ Danilo Gentili – comediante, ator e apresentador de televisão.

▶ Ingrid Guimarães – atriz, comediante e apresentadora brasileira.

▶ Neymar Jr. – um dos mais destacados jogadores de futebol do mundo, joga pelo Paris Saint-Germain, da França, e é atacante da seleção brasileira de futebol.

▶ Jim Carrey – premiado ator, comediante, roteirista, produtor e pintor américo-canadense.
▶ Fátima Bernardes – jornalista e apresentadora de televisão.
▶ Paulo Vieira – presidente da Febracis, criador do Método CIS® e do Coaching Integral Sistêmico® – e um dos autores deste livro.

Você certamente irá identificar nessas personalidades os traços aqui apresentados do perfil *Influência*. Observe a atuação dessas figuras, suas expressões, jeitos de se apresentar, falar, às vezes de persuadir ou seduzir. É um ótimo exercício para você comparar e aprender como as pessoas se comportam de acordo com esse perfil.

Quadro-resumo	
INFLUÊNCIA	
É o fator da comunicação e sociabilidade. Indica como você lida com pessoas e as influencia.	
Palavra-chave	Sociável
Emoção	Otimismo
Motivador	Reconhecimento social
Comunicação	Informal/Pessoal
Valor para a empresa	Negociação/Criatividade
Tomada de decisão	Emocional/Rápida

Descrição de uma personalidade influente – Papa Francisco

Uma pessoa que gosta de articular conexões com o próximo, independentemente de religião, crenças ou estilo de vida, esse é o Papa Francisco. Diferentemente de seus antecessores, abriu mão de morar no Palácio Apostólico, onde teria um apartamento exclusivo em um dos andares, para viver na Casa Santa Marta e estar mais próximo de padres, bispos e cardeais. Inclusive, o papa faz questão de fazer algumas de suas refeições na mesa comunitária para conversar com seus companheiros. Bastante persuasivo, Papa Francisco é um influenciador nato e sabe a maneira certa de expor suas ideias, mas sempre tomando cuidado para não impor suas opiniões.

FATOR *ESTABILIDADE* (S)

A *eStabilidade* é o fator do equilíbrio, da empatia e da lealdade. Indica como uma pessoa lida com mudanças e estabelece seu próprio ritmo de vida. Pessoas que apresentam alta intensidade do Fator "S" costumam ser boas ouvintes, são atenciosas e demonstram interesse genuíno pelos sentimentos dos outros. Os *eStáveis*, como são chamados nesse fator, assim como os *Influentes*, têm bastante propensão para os relacionamentos interpessoais, porém com uma grande diferença em relação aos *Influentes*: para o indivíduo *eStável*, é realmente importante o bem-estar do outro – mesmo que ele, a pessoa *eStável*, fique em desvantagem ou em segundo plano. Nesse sentido, pessoas com esse fator demonstram muita disposição para servir. [Para efeitos de comparação, o perfil *Influente* também tem essa característica de servir, mas nem sempre o interesse dele está *apenas* no bem-estar do outro.] Os *eStáveis* possuem também como características marcantes o ritmo constante, a capacidade de fazer trabalhos repetitivos sem se aborrecer, a preferência por prazos estendidos e por fazer uma coisa de cada vez.

Como pontos relevantes, os identificados nesse perfil tendem a manter relacionamentos de longo prazo e a buscar empregos nos quais conseguem projetar suas carreiras ao longo de muitos anos. É um comportamento que requer certa maturidade emocional, e talvez isso explique o fato de serem flexíveis em suas ideias e opiniões, tanto quanto cautelosos e reflexivos antes de falar, pois sempre que possível buscam o consenso acima de tudo. Todo esse cuidado os leva a serem também ótimos planejadores, pois lidam bem com processos (sobretudo os longos, com começo, meio e fim), além de possuírem constância, determinação e perseverança para seguir com o que foi planejado até a conclusão do projeto.

Indivíduos *eStáveis* valorizam muito a rotina e a previsibilidade. Para eles, é fundamental saber como será o dia de amanhã. Assim, quanto mais influente nesse fator for um indivíduo, maior será o apego dele ao que é conhecido e constante. Por esse motivo, eles podem ser resistentes a mudanças. No entanto, se forem convencidos do propósito, dos benefícios, das etapas envolvidas e das consequências positivas das mudanças, não será difícil convencê-los. E, se puderem ver essas propostas dentro de uma perspectiva bem planejada, trabalharão com afinco para que elas sejam implementadas até o fim.

Características de essência do Fator "S"

- ▶ Valorizam o planejamento, com orientações claras e responsabilidades bem definidas.
- ▶ São calmos e tranquilos, gostam de ambientes harmônicos e têm capacidade para apaziguar conflitos.
- ▶ Serão resistentes às mudanças, caso não tenham clareza do propósito e das etapas envolvidas.
- ▶ Têm preferência por trabalhar em grupo e decidir coletivamente.

Como reconhecer um eStável

Como ocorre em todos os perfis, é perfeitamente possível identificar traços do fator "S" em muitas situações – sempre lembrando que essas características definem tendências gerais, e que podem estar mais ou menos expressas nas pessoas, dependendo do grau de intensidade desse fator. Assim, como indicadores, podemos dizer que os *estáveis* demonstram mais interesse por pessoas do que por tarefas. Por serem cautelosos, costumam fazer uma abordagem indireta, e não precipitada. São possessivos, querem cuidar e responder quase que sozinhos pelos trabalhos que lhes são entregues – é perceptível esse traço nas mais variadas situações. Isso talvez ocorra justamente porque essas pessoas apresentam grande estabilidade e são bastante previsíveis, aspectos que normalmente só são possíveis quando temos controle sobre a situação.

Indivíduos estáveis valorizam muito a rotina e a previsibilidade. Para eles, é fundamental saber como será o dia de amanhã. Assim, quanto mais influente nesse fator for um indivíduo, maior será o apego dele ao que é conhecido e constante.

Aqui, uma observação importante: indivíduos com forte predominância do fator S não demonstram facilmente suas emoções. São fechados, guardam para si suas percepções, e não revelam facilmente o que pensam ou querem.

Do ponto de vista estritamente comportamental, não espere velocidade na tomada de decisão de um *estável* – novidades e mudanças não são o seu forte. De modo geral, preferem convenções, produtos e serviços tradicionais, principalmente aqueles cuja qualidade já está comprovada no tempo. Na verdade, não se pode exatamente dizer que esses indivíduos sejam contrários à mudança. O que ocorre é que, por serem bastante *estáveis* – e às vezes conservadores –, tendem a ver tudo através de um sistema planejado e previsível. Querem definições claras de metas e estratégias bem elaboradas para alcançá-las.

A comunicação com indivíduos com alta intensidade do fator "S" é outro aspecto muito positivo, mas precisa ser bem explorada. Em geral, os *estáveis* gostam de ver o quadro todo de um projeto. São, portanto, planejadores, veem os processos em suas várias etapas, e de modo bastante tranquilo. Pressa, realmente, não é o forte desse perfil. Os fluxos são um pouco mais lentos. Em contrapartida, são bastante consistentes, justamente pelo cuidado e pesquisa na elaboração de todas as etapas.

Esse mesmo jeito de agir e de se comunicar é constante e tende a se repetir em inúmeras situações, das mais informais às mais solenes. Não se surpreenda se encontrar uma pessoa com esse perfil organizando um churrasco com amigos com o mesmo nível de detalhe que faria para organizar o lançamento de um conjunto de apartamentos para vender. A intensidade em ambos os casos é a mesma. E detalhe: tudo com muita segurança e consistência.

> *Se você se identificou com as características do perfil estável, reflita o quanto em sua vida você já calou opiniões ou sentimentos que deveriam ter sido expostos.*

Variações na intensidade da eStabilidade

Como ocorre em todos os fatores, os extremos (pessoas com alta intensidade ou baixa intensidade do fator) também aqui se revelam, a depender do grau de maturidade da pessoa ou do nível de desenvolvimento de certas características. Mas, ao contrário do que poderia se esperar, nem sempre esses extremos se opõem. O que os diferencia é uma transição emocional, influenciada pelo grau de equilíbrio da pessoa. Por exemplo, a um comportamento tido como "cooperador" (encontrado no perfil mais intenso de um *estável*) temos, em contraposição, um comportamento mais "independente". Na baixa estabilidade, percebe-se um comportamento mais inquieto, variável, quase reativo. Em ambos os casos permanece a essência do fator "S". O que nos faz constatar que, tanto num extremo como no outro, é preciso ter controle, compreender as circunstâncias em que as coisas se passam, para que se possa explorar, no melhor dos sentidos, o que for mais adequado para a situação.

Entre as características mais destacadas do Fator "S" temos:

- Compreensivo.
- Acolhedor.
- Consistente.
- Bom ouvinte.
- Pacífico.
- Paciente.
- Planejador.
- Calmo.
- Metódico.
- Previsível.
- Leal.

Aspecto interessante a ser observado é que o conjunto de características de pessoas com alta intensidade no Fator "S" as define como *planejadoras* – pessoas que organizam seus processos, pensam em roteiros, estratégias, definem com clareza aonde querem chegar etc. No outro lado, o conjunto de características de um indivíduo com baixa intensidade no Fator "S" o define como um *executor* – uma pessoa que, como se diz, "põe a mão na massa", é despachada, atua em várias frentes. É claro que existem situações em que poderemos optar por um ou outro perfil, um mais *planejador*, outro mais *executor*. No entanto, a chave do sucesso aqui é perceber a existência dessas potencialidades e saber usá-las conforme a necessidade.

Como dissemos, o perfil ideal é aquele capaz de fazer com que as essências apareçam no momento em que são requeridas. As características estão disponíveis em todos os perfis, mas às vezes algumas são negligenciadas e outras precisam ser aprimoradas, para que possam ser usadas quando necessário.

Veja o quadro a seguir.

Comportamentos que devem ser desenvolvidos em pessoas com alta intensidade do fator eStável	
Se você...	O que poderia mudar?
Percebe ou identifica resistências:	Tente ser mais aberto a oportunidades.
É rígido e fechado:	Procure ter mais flexibilidade e aceitar as mudanças.
Está muito centrado nas metas ou no objetivo final:	Dê mais atenção aos prazos e acompanhe o ritmo de realização exigido.
Evita conflitos:	Procure encarar os problemas e situações difíceis com energia e coragem.
Ressente-se com facilidade ao receber críticas:	Tente ser menos sensível e emotivo; reconheça seus erros e trabalhe para minimizá-los.
Está com trabalho acumulado:	Estabeleça prioridades, e com isso diga "não" quando necessário.
Percebe-se muito apegado às tradições:	Procure estar mais acessível às inovações.
Percebe que está privilegiando muito seus colegas – em seu próprio detrimento:	Aja no sentido de atender também a suas próprias necessidades e desejos.
É excessivamente cuidadoso ao falar de coisas simples:	Apresente-se de maneira mais direta, objetiva e assertiva.
Preocupa-se demais com o que pensam os outros, a ponto de ter receio de se expor:	Expresse mais os seus pensamentos e posições, sem medo da opinião de terceiros.
É lento e excessivamente ponderado:	Seja menos hesitante e mais decidido.
Mistura os seus problemas com o dos outros:	Não gaste tanto suas energias com questões que não lhe dizem respeito.

O conceito na prática

Tomar consciência é importante, mas é preciso ir além e trazer para a realidade tanto a percepção quanto o aprendizado. Assim, propomos:

1. Identifique em seu dia a dia pelo menos uma ou duas situações em que você se percebe como resistente, como alguém que pensa muito mais nos outros do que deveria, em detrimento de si próprio, ou muito cuidadoso e lento etc.
___
___
___

2. Que ações ou medidas você poderia tomar para melhorar esses comportamentos? (Tente identificar de modo objetivo os obstáculos que o impedem de se aprimorar – e as estratégias para superá-los.)
___
___
___

3. O que seria melhor (em sua vida, no trabalho ou na família) se você pudesse mudar ou melhorar esses comportamentos?
___
___
___

Medos

Como você já sabe, aqui também encontramos medos, aqueles obstáculos que muitas vezes paralisam nossas atitudes. No caso das pessoas identificadas com o fator de estabilidade, esse sentimento está muito ligado a aspectos que as ameaçam de alguma forma ou que possam retirar delas a estabilidade de sua condição, expondo-as a situações desconhecidas. De modo geral, destacamos como medos comuns nesse fator:

▶ Cenários imprevisíveis.
▶ Ter que ousar e arriscar.

- ▶ Decepcionar ou ser decepcionado.
- ▶ Perder o autocontrole.
- ▶ Participar e envolver-se demais.
- ▶ Ter de lidar com conflitos.

Não há um antídoto específico para o sentimento do medo. Na verdade, o medo em si não é algo ruim. Se bem usado, chega a ser um ótimo estimulante. A questão é que não podemos nos deixar envolver por ele, a ponto de paralisar nossas ações. É preciso enfrentá-lo. E a melhor maneira para isso é, em primeiro lugar, admitir que ele existe. E, em segundo lugar, tentar entendê-lo, de modo que possamos vencer e atingir os objetivos que buscamos. Se você percebe isso no outro, no seu colega ou companheiro, tente ajudá-lo a enfrentar esses sentimentos.

Perfil nas organizações

E qual seria a melhor adequação do fator *eStabilidade* nas organizações?

É quase certo que indivíduos identificados com o Fator "S" poderão atuar com bastante desenvoltura em áreas que envolvam a necessidade de suporte a outras pessoas, tanto para informar e educar quanto para servir e ajudar. Geralmente, eles são excelentes no atendimento a clientes, no auxílio a líderes e no suporte a outros membros da equipe. São também muito bons em situações que envolvam vínculos interpessoais e cooperação, especialmente em ambientes amistosos e voltados para a busca de um melhor resultado coletivo, com diálogo e trabalho em equipe, apoio e resolução de dificuldades.

Os *estáveis* também se destacam em atividades que envolvam planejamentos, operações e procedimentos passo a passo, processos em que seja necessário o trabalho coordenado, metódico e organizado. Quase sempre, devido a seu perfil, evitam tarefas que não estejam bem definidas ou planejadas. Ou, se se deparam com situações instáveis e indefinidas, tentam atuar no sentido de organizá-las, sistematizá-las e dar a elas um status mínimo de previsibilidade.

O estilo de liderança do estável é o metódico

Principais características e pontos fortes

▶ Por serem mais abertos a opiniões, costumam ser mais conciliadores. Contudo, frequentemente tomam decisões de maneira compartilhada, já que não gostam de se expor a riscos. Dessa forma, tornam maiores as possibilidades de participação em sua liderança, o que contribui para que o grupo se sinta mais valorizado.

▶ Introspectivos, têm facilidade em agir com mais paciência para orientar e acompanhar a execução das tarefas com equilíbrio. Raramente agem com impulsividade ou autoritarismo, não emitindo ordens imperativas.

▶ Possuem facilidade para aconselhar com base em suas vivências, passando conhecimentos com paciência e dedicação. É desse modo que guiam a equipe para atingir os objetivos.

▶ Diante de possíveis adversidades, tendem a reagir com mais equilíbrio e persistência. Realizam planejamentos estruturados em orientações claras e constroem métodos que contribuem para o bom direcionamento da equipe, eliminando eventuais dúvidas e evitando erros processuais.

Possíveis comportamentos a serem trabalhados

▶ Para evitar conflitos, ou o desgaste de uma interação negativa, podem ser condescendentes e tolerantes com as falhas e as dificuldades de seus liderados.

▶ Tendem a liderar passivamente e apresentam dificuldades para agir com firmeza quando necessário, não se sentindo à vontade para corrigir comportamentos inadequados dos colaboradores. Por serem mais permissivos e complacentes, podem acabar perdendo o controle da equipe ao gerar um sentimento de injustiça junto aos liderados mais comprometidos e cumpridores de obrigações.

▶ São conservadores e, em geral, previsíveis e rotineiros. Com o passar do tempo, podem vir a desmotivar a equipe, principalmente se ela for composta por pessoas mais dinâmicas e aceleradas. Por serem pouco ambiciosos e pouco ousados, podem ainda desestimular seus liderados pelo fato de não estipularem novos desafios para si mesmos e para os outros.

▶ Pode faltar iniciativa própria nas tomadas de decisões individuais que exigem mais rapidez, entretanto sua hesitação deve-se à preocupação exagerada com as necessidades e opiniões alheias, o que acaba se tornando uma espécie de dependência, contribuindo para que as coisas aconteçam de maneira muito mais lenta e gradual que o ritmo exigido.

Perfis públicos

Exemplos de pessoas que demonstram ou demonstraram *Estabilidade* como característica predominante:

▶ Mahatma Gandhi – foi o idealizador e fundador do moderno estado indiano e o maior defensor do *Satyagraha* – o princípio da não agressão – como meio de revolução.

▶ Emma Watson – atriz, modelo e ativista britânica.

▶ Parreira – Carlos Alberto Parreira, técnico campeão mundial pela seleção brasileira de futebol.

▶ Eduardo Suplicy – economista, professor universitário e político brasileiro.

▶ Caetano Veloso – músico, compositor, produtor, arranjador e escritor brasileiro.

▶ Chico Xavier – importante médium, filantropo e um dos mais destacados expoentes do Espiritismo.

Com certeza você irá identificar nessas personalidades os traços aqui apresentados do perfil *estabilidade*. Observe a atuação dessas figuras, suas expressões, suas ideias, ritmo, equilíbrio e tendência a contornar os conflitos em vez de partir para o confronto direto. Compare as características dessas personalidades com as outras mencionadas nos outros perfis. É um ótimo exercício para você estudar e aprender como as pessoas de modo geral se comportam.

Quadro-resumo	
ESTABILIDADE	
É o fator do equilíbrio, empatia e lealdade. Indica como uma pessoa lida com mudanças e estabelece seu ritmo.	
Palavra-chave	Previsibilidade
Emoção	Apatia (observável)
Motivador	Segurança
Comunicação	Suave/Empática
Valor para a empresa	Planejamento/Cooperação
Tomada de decisão	Emocional/Demorada

Descrição de uma personalidade estável – Nelson Mandela

Ativista e, posteriormente, ex-presidente sul-africano, Nelson Mandela (1918-2013) foi um conciliador. Mesmo em uma África do Sul dividida pelo apartheid – movimento de segregação racial que o país vivenciou por vinte anos –, Mandela lutou a favor da igualdade de direitos, mas com empatia, preferindo atos não violentos. Tinha um ritmo próprio, era calmo e transparecia ser uma pessoa muito harmoniosa, sempre cooperativo e com espírito colaborativo.

Mantinha-se a favor do grupo, das pessoas. Outra característica muito marcante de Mandela era sua lealdade. Mesmo preso, se manteve firme em sua ideologia e fiel ao partido que defendia, e recusou uma revisão de pena e a liberdade condicional oferecida em troca de não incentivar a luta contra o apartheid.

FATOR *CONFORMIDADE* (C)

Conformidade é o fator da estrutura, do detalhe e do fato (realidade). Indica como a pessoa lida com regras e procedimentos. Indivíduos com alta intensidade do Fator "C" apresentam altos níveis de precisão e relutam bastante em revelar informações sobre si próprios. Quem tem o estilo *Conforme* como predominante em sua personalidade é tido como lógico, analítico e racional, alguém que pensa de maneira sistemática, com base em dados e fatos, e toma decisões de maneira bastante cautelosa e fundamentada.

Essas pessoas têm grande capacidade para realizar trabalhos minuciosos, para os quais estabelecem processos com regras claras e bem definidas. Sentem muito prazer ao executar tarefas com o máximo de perfeição possível, e têm preferência por trabalhar com pessoas disciplinadas. No entanto, evitam ser o centro das atenções, e tendem, portanto, a ser formais e reservadas, dedicando toda a sua atenção às tarefas a serem executadas. Quando suas competências são bem exploradas, essas características produzem um resultado muito positivo, tanto para elas quanto para os outros.

De modo geral, pessoas com o perfil *Conforme* não gostam de improvisar. No entanto, poderão obter sucesso se souberem usar suas características e disciplina para aprender a conviver melhor com pessoas informais e criativas, as quais, na maior parte das vezes, são fundamentais para complementar o estilo rígido dos *Conforme*. O alto grau de perfeccionismo desses indivíduos muitas vezes pode levá-los a algum tipo de frustração, uma vez que eles têm uma alta expectativa de seu próprio desempenho. O fato de nem sempre conseguirem resultados notáveis –

não necessariamente por culpa deles, mas por conta de algum fator externo – pode desmotivá-los ou paralisá-los em suas ações e processos. Nesses casos, é oportuno contar com o monitoramento ou incentivo de colegas e superiores, no intuito de ajudá-los a superar esses períodos de hesitação diante da necessidade de realização de missões desafiadoras.

Devido a essas características, eles se sentem mais seguros quando dispõem de informações detalhadas sobre os processos que estão conduzindo – sobretudo porque estão constantemente preocupados com o que pode eventualmente dar errado. Com muita frequência, esse traço os faz serem vistos pelos outros como pessoas muito críticas ou pessimistas. Mas aqui, novamente, é uma questão de saber trabalhar com esse tipo de perfil, pois essa preocupação deles, às vezes um pouco exagerada, e a capacidade de pensar e calcular riscos e eventuais equívocos contribuem muito para a prevenção e redução drástica de erros.

Características essenciais do Fator "C"

- ▶ Buscam seguir todas as regras e procedimentos para garantir a exatidão do que se propõem a fazer.
- ▶ Possuem forte tendência ao perfeccionismo, podendo ser centralizadores com tarefas que deveriam ser compartilhadas.
- ▶ Gostam de ter o máximo de informações para analisar problemas, situações e definir estratégias.
- ▶ Possuem padrões de exigência muito elevados, tanto para si quanto para seus colegas.

Como reconhecer um Conforme

Existem vários aspectos pelos quais se pode identificar o modo como age uma pessoa com estilo *Conforme*. De modo geral, são minuciosos e perfeccionistas, nada escapa ao olhar deles, o que lhes permite formular e planejar estratégias para atuar em seus processos. A partir disso, podemos ainda mencionar que são pessoas mais voltadas a tarefas que a indivíduos, com grande interesse em procedimentos e informação detalhadas. A abordagem deles quase sempre é direta e bastante crítica – não só consigo mesmos, mas também com os outros, o que os torna, por conseguinte, bastante exigentes.

Justamente por esse forte apreço pelos detalhes, é perceptível o medo que essas pessoas têm de não conseguir alcançar êxito com a máxima qualidade. Aliás, em certo sentido, é esse medo que as alimenta, e isso, em determinado nível, não é ruim, mas há casos em que o medo cresce e chega a paralisar pessoas com esse perfil, a ponto de nem começarem um projeto se não puderem acabá-lo com perfeição

Outro traço destacável no Fator "C", de acordo com a metodologia DISC, é a opção por evitar conflitos. São cautelosos, observam normas e regras, são bastante objetivos em suas mensagens, mas sem abrir mão dos detalhes, para que nada fique de fora ou no ar. Suas aquisições costumam ser conservadoras, e demoradas, exatamente pela necessidade que têm de informações e comprovação da qualidade do objeto em questão.

São introvertidos, reservados e muito cautelosos. Quando discutem um problema, por conhecerem os detalhes da questão, são bastante diretos e incisivos. Às vezes pode parecer que estão implicando com a pessoa com a qual discutem, mas na verdade, seu foco está na solução, na tarefa, na coisa a ser feita.

São introvertidos, reservados e muito cautelosos. Quando discutem um problema, por conhecerem os detalhes da questão, são bastante diretos e incisivos.

A melhor maneira de se comunicar com um *Conforme* é com informações. E dados. O maior nível de detalhes possível. Organização é a chave, assim como ser específico – e nunca generalista – é fundamental. De modo geral, os diálogos ou interações com pessoas *Conformes* se dão através de exemplos claros e comprovações. Nunca por informações vagas, ou que expressem incertezas e indefinições. É claro que isso nem sempre é possível, mas, na conversa com um Conforme, qualquer imprecisão será traduzida como falta de zelo e atenção. Se você disser que "não sabe quanto tem para gastar num determinado projeto", um *conforme* poderá entender que você não pesquisou o suficiente para trazer a informação final para ele.

Se você se identificou com o perfil conforme, o quanto você já deixou de realizar na sua vida porque não possuía todas as informações necessárias para agir?

Variações na intensidade da Conformidade

As variações do perfil "C" colocam o indivíduo assim identificado entre um *sistematizador*, quando há alta intensidade no fator, e um *criador*, quando há baixa conformidade. O perfil com alta intensidade do fator "C" será detalhista e minucioso, voltado para a análise e aquisição de informações. Mas esse quadro mais geral é afetado nos extremos – como ocorre com os demais fatores. Por exemplo, num perfil com alta intensidade do Fator "C", o traço de "mais cuidadoso" ou "organizado" pode ser encontrado. Porém, na baixa frequência do perfil, a pessoa será "mais desinibida", "livre" ou "informal". O que importa nessa variação é saber que essas possibilidades e opções estão disponíveis – e que podem ser remanejadas de acordo com os interesses ou as necessidades da situação ou da pessoa. Problemas podem aparecer – e isso ocorre com todos os fatores vistos até aqui – quando a pessoa fica refém desse ou daquele traço, não conseguindo atenuá-lo ou estimulá-lo.

Entre as características do Fator "C", destacam-se:

- ▶ Disciplinado.
- ▶ Analítico.
- ▶ Preciso.
- ▶ Organizado.
- ▶ Detalhista.
- ▶ Cuidadoso.
- ▶ Formal.
- ▶ Perfeccionista.
- ▶ Discreto.
- ▶ Questionador.

Pessoas com alta intensidade no perfil "C" sempre buscam ordenar informações, organizar detalhes, buscando ou criando padrões que poderão caracterizar determinados processos e procedimentos – para depois multiplicá-los. Os perfis com baixa intensidade desse fator atuam com mais desenvoltura na elaboração de processos e procedimentos. São, nesse sentido, mais imaginativos, capazes de antever e criar aspectos que poderão definir determinada atividade.

Ao considerar que todos dispomos dos mesmos traços, em menor ou maior grau, tente identificar os pontos que estão, digamos, um pouco apagados e os que mais sobressaem em sua conduta. O que você poderia fazer para melhorá-los ou adequá-los? Veja o quadro a seguir.

Os fatores básicos do comportamento humano | 113

Comportamentos que devem ser desenvolvidos em pessoas com alta intensidade do fator Conformidade	
Se você...	O que poderia mudar?
Faz exageradas cobranças: →	Busque ser menos exigente consigo mesmo e com os outros.
Orienta-se apenas pelo que lhe é familiar: →	Procure valorizar as diferenças.
Percebe que está pegando um pouco "pesado" demais com seus pares ou equipe: →	Seja menos crítico e valorize mais as iniciativas.
Usa muito do seu tempo (e o dos outros) buscando o máximo de perfeição, em detrimento da entrega: →	Concentre-se mais (primeiramente) em fazer o que precisa ser feito – em vez de fazer tudo com extrema perfeição.
Vê-se como o principal responsável pelos trabalhos que sua equipe entrega: →	Busque valorizar também as pessoas envolvidas no processo.
Tem o hábito de trabalhar sozinho ou de decidir de maneira solitária: →	Procure aproveitar mais as oportunidades de trabalhar em equipe, e compartilhar eventuais decisões.
Tem dado exagerada atenção à realização das tarefas – independentemente do que pensam as pessoas: →	Procure observar as necessidades e sentimentos dos outros.
Percebe-se como um autêntico one man show – disposto a fazer tudo sozinho: →	Considere aceitar a ajuda de outras pessoas, e delegar mais tarefas, em vez de centralizar tudo em si.
Percebe que a perfeição é mais um desejo (seu) do que uma necessidade da tarefa ou do trabalho: →	Seja menos perfeccionista e mais realista.
Gasta muito do seu tempo com discursos e detalhes que pouco ou nada irão alterar a essência das coisas: →	Seja mais pragmático e menos exigente com questões sem grande importância.

O conceito na prática

Tomar consciência é importante, mas é preciso ir além e trazer para a realidade tanto a percepção quanto o aprendizado. Assim, propomos:

1. Identifique em seu dia a dia pelo menos uma ou duas situações em que você se percebe como muito perfeccionista, centralizador e detalhista etc.
___
___
___

2. Que ações ou medidas você poderia tomar para melhorar esses comportamentos? (Tente identificar de modo objetivo os obstáculos que o impedem de se aprimorar – e as estratégias para superá-los.)
___
___
___

3. O que seria melhor (em sua vida, no trabalho ou na família) se você pudesse mudar ou melhorar esses comportamentos?
___
___
___

Medos

Os receios de pessoas identificadas com o perfil de *Conformidade* se relacionam com os riscos e possibilidades de que o trabalho ou o desempenho não saia exatamente do jeito que imaginaram, o que quer dizer, nesse caso, de maneira perfeita. Daí decorre, ao longo dos processos, o medo de que não tenham todas as informações necessárias, ou de que, por alguma razão, precisem deixar de seguir as normas. Como já dissemos, os medos, em muitos momentos, são positivos, mas, quando nos impedem ou nos paralisam, é preciso compreendê-los para que possamos controlá-los. Os medos mais comuns no Fator "C" são estes:

- ▶ Cometer falhas ou não seguir as normas.
- ▶ Não ter pensado em todas as possibilidades.
- ▶ Receber críticas ao seu trabalho.
- ▶ Não ter informações suficientes.
- ▶ Não fazer a melhor escolha.

Para quem se vê e age como um perfeccionista, dependendo essencialmente de informações precisas e muitos detalhes, é bastante desafiador abrir mão da segurança dos dados e relaxar um pouco. No entanto, às vezes é preciso compartilhar os controles, aprender a delegar e a confiar mais nos outros. O alto "C" também precisa entender que errar faz parte do processo e, quando errar, olhar para si mesmo sem culpa ou autojulgamento, buscando sempre tirar os aprendizados de todas as situações e oportunidades que lhe surgirem.

Perfil nas organizações

Os *Conformes* tendem a atuar com muita excelência em funções técnicas ou em áreas voltadas para a qualidade. Situações que envolvam métodos racionais de investigação e resolução de problemas, ou nas quais se requeira o uso do conhecimento ou lógica, serão beneficiadas com a atuação de pessoas com esse perfil.

Quase sempre, são bastante organizados e capazes de coletar e sistematizar informações, de modo que estas possam ser acessadas e usadas sempre que necessário. São disciplinados e têm conduta excepcional em atividades em que seja necessário seguir com rigor normas e padrões preestabelecidos.

Muito dessa atuação advém do fato de serem detalhistas e questionadores – sempre sabendo fazer as perguntas certas, na hora certa e às pessoas certas. Quando trazem suas colocações e pontos de vista para um debate, não raro encontram-se pautados e alicerçados em informações, estudos, pesquisas e testes – às vezes até com comprovação em fatos. Isso os habilita a exercer atividades em que se exija análise sistemática, com a devida organização de informações precisas, e fornecimento de subsídios para as melhores decisões.

O estilo de liderança do conforme é o sistemático

Os Conformes tendem a atuar com muita excelência em funções técnicas ou em áreas voltadas para a qualidade.

Principais características e pontos fortes

- ▶ Pessoas do perfil SISTEMÁTICO são formais, disciplinadoras e possuem foco nas atividades relacionadas ao trabalho, por isso são extremamente exigentes e esperam que seus liderados tenham a mesma atitude.
- ▶ Preferem que os objetivos sejam alcançados por meio de trabalho árduo. Assim, costumam se incomodar quando seus liderados perdem o foco em conversas ou exageram na informalidade.
- ▶ Apresentam-se com racionalidade, sendo mais cautelosos, e preferem tomar decisões com segurança depois de muita análise baseada em fatos concretos.
- ▶ Sempre cuidadosos e organizados, gostam de especificidade, evitando assim possíveis erros decorrentes da falta de preparo e controle. São preciosistas e se preocupam em acertar com atenção na entrega de resultados com alta qualidade.
- ▶ Têm um pensamento sistemático e estruturado com uma capacidade acima da média para conduzir projetos de maior complexidade. São precisos e possuem elevados padrões de qualidade, encontrando falhas e solucionando problemas. Além disso, têm o hábito de revisar trabalhos, propostas e relatórios entregues por seus colaboradores.

Possíveis comportamentos a serem trabalhados

▶ São muito sérios e retraídos, não são de conversas alongadas e não costumam desenvolver relações de proximidade com seus liderados, por isso podem passar a imagem de líderes frios e mais distantes da equipe. Tendem a ser rígidos e muito exigentes. Desse modo, acabam desmotivando o grupo por terem um foco maior nas falhas, muitas vezes deixando de valorizar os acertos.

▶ Perfeccionistas, possuem tendência para apresentar uma liderança muito presa a regras, a processos e a regulamentos. Desse modo, podem perder a oportunidade de serem mais objetivos e contribuir para a entrega de resultados satisfatórios em curto prazo. O seu alto nível de exigência pode gerar uma liderança mais centralizadora, com dificuldade para delegar tarefas. Agem, de maneira consciente ou inconsciente, a partir da crença de que, "Se você quer as coisas bem-feitas, faça você mesmo".

▶ Podem exagerar na cautela, apresentando dificuldade para tomar decisões rápidas e objetivas quando necessário. Pelo fato de serem altamente sistemáticos, não se sentem seguros para ousar na maioria das vezes. Querem controlar tudo o que está sendo feito por seus liderados e impor o seu jeito de fazer as coisas, e com isso acabam tirando a autonomia e a liberdade da equipe, atitude que pode desmotivá-los ou diminuir a produtividade.

Perfis públicos

Pessoas públicas que demonstram ou demonstraram a *Conformidade* como característica predominante:

▶ Bill Gates – fundador da Microsoft.

- ▶ Albert Einstein – um dos mais importantes físicos teóricos, desenvolveu a Teoria da Relatividade Geral.
- ▶ Alan Turing – matemático, filósofo e cientista da computação.
- ▶ Miriam Leitão – jornalista e apresentadora de televisão.
- ▶ Professor Pasquale – Pasquale Cipro Neto, professor de língua portuguesa, idealizador do programa *Nossa Língua Portuguesa*, da TV Cultura.

Tente identificar nessas personalidades os traços aqui apresentados do perfil *Conformidade*. Observe a atuação dessas figuras, suas expressões, o quanto buscam a precisão, são exigentes consigo mesmas e com os outros e são exemplos de atenção a regras e processos. Compare suas características com as mencionadas nos outros perfis.

Quadro-resumo	
CONFORMIDADE	
É o fator da estrutura, do detalhe e do fato. Indica como você lida com regras e procedimentos.	
Palavra-chave	Crítico
Emoção	Medo
Motivador	Informação/Estar de acordo com as regras e com altos padrões
Comunicação	Formal/Específica
Valor para a empresa	Qualidade/Atenção aos detalhes
Tomada de decisão	Racional/Demorada

Descrição de uma personalidade conforme – Theresa May

A primeira-ministra do Reino Unido Theresa May é uma mulher extremamente formal e demonstra ser uma líder muito sistemática e cautelosa, mas firme em suas decisões, e que segue todas as regras. A maneira como ela se veste, sempre sóbria e alinhada, com cores neutras, também reflete seu perfil discreto e formal. No atual cenário político britânico, May está envolvida em inúmeros debates que giram em torno das negociações para o Reino Unido deixar a União Europeia e tem sido pressionada por parlamentares, que exigem um rápido desligamento, e líderes europeus, que estão descontentes com a separação. Contudo, Theresa May se mantém focada, analisando toda a situação e buscando a melhor solução para o impasse, mesmo que isso signifique perder aliados no governo.

Claramente você já começa a perceber a riqueza das análises de perfis e comportamentos. Temos certeza de que você irá se debruçar e pensar não só em si mesmo, mas em seus colegas, familiares, amigos, e logo vai reconhecer muitos dos traços aqui apresentados. Bem, mas ainda temos muita coisa pela frente. Aqui falamos do primeiro tripé do CIS Assessment – o método teórico DISC, de William Moulton Marston. No próximo capítulo continuaremos essa fascinante viagem com a apresentação dos Tipos Psicológicos, de Carl Gustav Jung.

Até lá!

SAIBA MAIS

Marston, criador da Mulher-Maravilha, do DISC e do detector de mentiras!

William Moulton Marston (1893-1947), criador da Teoria DISC, deixou um legado de importantes realizações científicas, acadêmicas e literárias. Doutor em Psicologia por Harvard, Marston foi, sem dúvida, um homem de muitos talentos, cujos estudos o levaram ao sucesso em diversas frentes de atuação, seja como advogado, como psicólogo, inventor do polígrafo (também conhecido como detector de mentiras), filósofo e roteirista de quadrinhos.

A invenção do polígrafo

Ao longo de suas pesquisas na área de psicologia, Marston percebeu que havia uma ligação entre a emoção de uma pessoa e sua pressão arterial. Conta-se que sua esposa, Elizabeth Holloway Marston, que também era psicóloga, teria comentado que parecia sentir sua pressão arterial aumentar quando ficava nervosa ou muito animada. Partindo disso, o cientista começou a construir um dispositivo capaz de detectar alterações na pressão arterial de uma pessoa quando fosse submetida a um interrogatório. Aqui nasceu o polígrafo, em 1915, o qual logo ficaria conhecido como "detector de fraudes", ou "detector de mentiras". Você já deve ter visto algum filme em que um personagem é interrogado pela CIA, FBI ou pelo exército com o auxílio desse equipamento.

Em 1917, Marston publicou os usos e os resultados obtidos com a máquina. Tornou-se então um palestrante ativo, consultado na maior parte das vezes por grupos ligados à segurança. O Conselho de Defesa Nacional dos Estados Unidos patrocinou muitas de suas pesquisas, e desfrutou de seu trabalho de detecção de fraudes em ações de contraespionagem durante a Primeira Guerra Mundial. Anos mais tarde, em 1938, Marston publicou o livro *The Lie Detector Test* ("O teste do detector de mentira"), no qual descreveu como funcionava sua invenção.

Teoria DISC

Após desenvolver o polígrafo, Marston começou a estudar os efeitos da sensação de poder sobre a personalidade e o comportamento humanos. Fez profundos estudos e compilou informações dos grandes estudiosos do comportamento, de diferentes épocas, para desenvolver sua própria teoria no livro *As emoções das pessoas normais*, publicado em 1928. Nesse trabalho, ele desenvolveu a base para a Teoria DISC, que depois seria aprofundada em uma segunda obra, intitulada *DISC, Integrative Psychology*.

Da pesquisa científica aos quadrinhos

Em 1940, Marston concedeu uma entrevista para a *Family Circle* intitulada *Don't Laugh at the Comics* ("Não ria dos quadrinhos", em tradução livre), na qual afirmava acreditar que as histórias em quadrinhos poderiam ter um papel educativo na formação das pessoas. Seu ponto de vista chamou a atenção da Editora DC Comics (na época, National Periodical Publications e All-American Publications), que o contratou como consultor educacional. Foi quando surgiu a ideia de criar um super-herói – nesse caso, uma super-heroína: a Mulher-Maravilha.

Marston tinha quatro filhos e duas mulheres, ambas cultas e independentes. Viviam sob o mesmo teto numa relação consensual. Ele apoiava tanto o movimento sufragista como o feminismo. Para ele, as mulheres deveriam ser livres e independentes, e, nesse sentido, a personagem da Mulher-Maravilha personificava um novo tipo de mulher, que deveria governar o mundo, com base sobretudo no amor e na verdade – esse aspecto, aliás, havia sido comprovado por ele em suas experiências, que demonstraram que as mulheres eram muito mais honestas e confiáveis que os homens; o laço da verdade – arma usada pela personagem em suas aventuras, capaz de controlar pessoas e obter confissões – era uma referência ao polígrafo.

A Mulher-Maravilha teve sua primeira aparição pública em dezembro de 1941. Sua história foi inspirada na mitologia greco-romana, e sua personalidade unia características dos quatro perfis DISC: Dominância (Poder), Influência (Persuasão), Estabilidade (Equilíbrio) e Conformidade (Análise).

A personagem foi um enorme sucesso. Marston se dedicou a escrever para o DC Comics até sua morte, em 1947, em Rye (Nova York), exatamente uma semana antes de completar 54 anos. É considerado pela *DC Comics* um dos 50 grandes criadores da editora. Em 2006, foi introduzido no *Will Eisner Award Hall of Fame*, por seu trabalho na criação da Mulher-Maravilha, personagem icônico das histórias em quadrinhos.

3

OS TIPOS PSICOLÓGICOS

Vamos falar agora dos Tipos Psicológicos, de Jung – o segundo tripé da metodologia usada no mapeamento de perfil comportamental do CIS Assessment, em conjunto com a Teoria dos Valores, de Eduard Spranger (que veremos no Capítulo 4), e a metodologia DISC (apresentada no Capítulo 2).

Como você viu no capítulo passado, a Teoria DISC nos ajuda a compreender nossas respostas aos estímulos do ambiente, a partir da avaliação dos comportamentos observáveis. Já os *Tipos Psicológicos*, de Jung, vão nos permitir analisar nossas preferências pelo meio interno ou externo, e compreender a maneira como captamos informações e as julgamos. Tanto o DISC quanto os *Tipos Psicológicos* (e assim também a *Teoria dos Valores*, que vamos apresentar no próximo capítulo) são teorias independentes, mas ganham excepcional relevância quando usadas na perspectiva do CIS Assessment – sobretudo por oferecer ao avaliado uma perspectiva mais ampla e profunda sobre si mesmo.

Vamos então conhecer os Tipos Psicológicos, de Jung, uma das mais instigantes teorias da personalidade humana.

OS TIPOS QUE NOS CARACTERIZAM

Em 1921, o médico psiquiatra Carl Gustav Jung, pai da psicologia analítica, em sua notável obra *Tipos Psicológicos*, identificou uma série de processos psicológicos e apresentou o modo como funciona a dinâmica da psique e as diversas combinações possíveis que integram a personalidade de uma pessoa.

A formulação dessa teoria foi um marco no desenvolvimento das pesquisas sobre a mente e o comportamento humanos.

O ponto de partida das pesquisas de Jung foram suas observações a respeito das diferenças de abordagem psicanalítica de Sigmund Freud, o pai da psicanálise, e Alfred Adler, importante psicólogo da época, autor dos conceitos de complexo de inferioridade e de superioridade usados até hoje. Jung percebeu que uma mesma doença poderia ser tratada com sucesso tanto pela metodologia de Freud quanto pela técnica de Adler. Em Freud, o método baseia-se na relação do paciente com o objeto. Já em Adler, o método privilegia o eixo da relação do paciente com o sujeito, ou seja, consigo mesmo.

De maneira simples, Adler olhava o mundo interior do sujeito (introversão) em suas abordagens psicanalíticas. Já em Freud, o foco da abordagem estava no mundo exterior, isto é, no objeto.

Apesar de distintas, as duas abordagens são eficazes. Uma tem caráter objetivo (Freud) e, portanto, exterior, e a outra, caráter subjetivo (Adler), portanto, interior. Na mesma linha, e a partir de muita observação, estudo e pesquisa, Jung percebeu dois grandes grupos de indivíduos. Um deles interagia de forma rápida e confiante aos estímulos externos, e o outro, diante desses mesmos estímulos, hesitava ou recuava, preferindo claramente um contato mais reservado, interior. Os primeiros, Jung chamou de extrovertidos (E). O segundo grupo, Jung chamou de introvertidos (I).

Um aspecto interessante observado por Jung é que o grupo de pessoas mais adaptadas ao meio coletivo (isto é, os extrovertidos) tinha muita dificuldade de atuar no plano individual, as pessoas consigo mesmas. Nos extrovertidos, a energia se concentra principalmente na direção dos objetos, isto é, no mundo exterior.

Pessoas extrovertidas geralmente se sentem à vontade em ambientes públicos. E têm, de modo geral, muito medo da solidão ou de ficar sozinhas. Já com os introvertidos, Jung percebeu uma dificuldade maior em se adaptar ao meio externo, por serem mais introspectivos. Nestes, o fluxo de energia recua diante dos objetos e se volta para o seu mundo interior.

Indivíduos introvertidos preferem naturalmente espaços mais reservados, e não têm dificuldade alguma de ficar sozinhos

– embora, muitas vezes, admirem o comportamento de quem tem facilidade em lidar com o público.

Vale notar que trazer o seu tipo psicológico para um nível consciente vai ajudá-lo a compreender uma série de comportamentos, medos e desejos até então desconhecidos. Jung sabia muito bem o que estava fazendo. **Na definição do autor, "os tipos" dizem respeito aos interesses e principais referenciais do indivíduo. Estão relacionados ao jeito como a pessoa age (ou reage) diante das situações** (Jung, *Tipos Psicológicos,* 1967, p. 551). São aqueles comportamentos que você faz e não consegue controlar. São, como escreveu o autor, instintivos. Por exemplo, a forma como você ou uma pessoa capta a informação é algo que nem ela e nem mesmo você controlam. Vocês simplesmente captam e recebem a informação. E isto é algo que já está no indivíduo, faz parte dele. É justamente essa predisposição que será identificada na análise do perfil. Antes de seguirmos adiante, é necessário conceituar duas definições fundamentais quando falamos de Tipos Psicológicos. Veja no quadro a seguir:

> *Pessoas extrovertidas geralmente se sentem à vontade em ambientes públicos. E têm, de modo geral, muito medo da solidão ou de ficar sozinhas.*

▶ **Atitude** – Podemos definir a atitude pela forma como o indivíduo recarrega a sua energia. Ou até onde ele concentra a sua atenção. Ela pode se voltar para o mundo externo, ou para o interno.

▶ **Função Psicológica** – Diz respeito às aptidões e tendências dos indivíduos nos relacionamentos deles consigo mesmos e deles com o mundo. A maneira como uma pessoa reage ao mundo se deve, entre outras razões, à herança genética, às influências familiares e às experiências que o indivíduo teve ao longo da vida.

De acordo com Jung, as pessoas podem ser avaliadas e compreendidas a partir de duas formas básicas de **Atitudes**: *Extroversão* (E) e *Introversão* (I).

E essas atitudes se expressam por meio de quatro **Funções Psicológicas** (FP). Duas delas são ligadas à *Percepção*: 1) *Sensação* (S); 2) *Intuição* (N). E as outras duas ligadas ao *Julgamento*: 3) *Pensamento* (T); e 4) *Sentimento* (F).

Atitudes	Extroversão	Introversão
Funções Psicológicas de Percepção	Sensação	Intuição
Funções Psicológicas de Julgamento	Pensamento	Sentimento

Para ficar mais clara a relação entre diferentes personalidades, trazemos um exemplo. Imagine que seus amigos e familiares tenham preparado um aniversário-surpresa para você. Ao chegar em casa, você é recebido por várias pessoas. Qual será a sua atitude? Cumprimentará a todos um a um, dará saltos e gritos de alegria e entrará na algazarra. Ou tomará um susto, não sabendo como reagir ou para quem olhar, pois só o fato de ser o centro das atenções o deixará incomodado. Com qual personalidade você mais se identificou? Se a sua reação for a primeira, possivelmente você é uma pessoa extrovertida. Se você se identificou mais com a segunda situação, é provável que seja uma pessoa introvertida.

Esses exemplos mostram que o sentimento, o anseio de manifestar sua atitude preferencial, estará sempre com você, pois já está formado em seu inconsciente. Essas preferências se estabelecem num indivíduo devido a uma série de razões. Entre elas estão a herança genética, o meio familiar e as próprias experiências que a pessoa construiu ao longo da vida. Mas, quando temos autoconhecimento e maturidade, torna-se possível controlar a manifestação dessas atitudes.

Agora, um ponto importante neste capítulo e, você vai perceber, em todo o livro: **a análise do perfil não tem por objetivo mudar o que você é ou o que qualquer outra pessoa** é. O que buscamos é ajudá-lo a compreender que os seus comportamentos são manifestações da sua personalidade – que se estabelece na prática a partir das suas atitudes e funções psicológicas. Se você compreender isso, entenderá mais facilmente o comportamento do outro, e com isso se relacionará com ele de modo mais eficaz e harmonioso.

A maneira de captar a informação é inconsciente. E a atitude também é inconsciente, no sentido de que ninguém escolhe ser introvertido ou extrovertido. Porém, o comportamento que decorre dessa atitude pode (e deveria) ser consciente.

Por exemplo, muitas pessoas tidas como introvertidas preferem não se expor em público. Em geral, não gostam de dar palestras, dançar na frente dos outros etc. Preferem se recolher e quase sempre agem de forma reservada. E isso, em si, não é bom nem ruim, pois apenas expressa o que a pessoa é. Ocorre que há situações em que é necessário romper essas barreiras. Se você precisar falar em público, numa situação importante ou especial, precisará se expor e se apresentar. O mesmo ocorre quando o excesso de extroversão atrapalha. Às vezes é preciso se conter, se policiar até. Se você consegue fazer isso, então é capaz de dominar o seu tipo e usá-lo a seu favor. Isso não mudará em nada o que você é na essência, mas quando for necessário, ainda que circunstancialmente, você será capaz de romper qualquer barreira.

O fato de você tomar consciência disso já lhe permite começar a refletir sobre o seu comportamento e, dessa forma, melhorá-lo, e dominá-lo a ponto de saber usar suas características a seu favor.

Essa foi a premissa metodológica para o desenvolvimento da Teoria dos *Tipos Psicológicos*. Como já vimos, para Jung, o comportamento humano se divide em duas grandes classes, que se diferenciam pela Atitude de *Extroversão* – (externo = objeto = o outro) quando a atenção se volta para o exterior (pessoas, lugares e coisas) – e pela Atitude de *Introversão* – (interno = sujeito = consigo mesmo) quando a atenção se volta para o interior (pensamentos e reflexão).

A análise do perfil não tem por objetivo mudar o que você é ou o que qualquer outra pessoa é.

Entenda melhor o conceito junguiano neste esquema:

Tipos Psicológicos	O foco de atenção	
	Extrovertida (E)	Introvertida (I)
A atitude pode ser do tipo	A atitude do indivíduo se volta para o mundo externo: pessoas, coisas, tarefas e experiências.	A atitude do indivíduo se volta para o mundo das reflexões: ideias, pensamentos e emoções.
Forma de se energizar	Exterior	Interior
Conexão com o mundo	Objeto	Sujeito

Lembramos aqui um caso bem prático que nos ajuda a compreender a maneira como esses diferentes tipos se energizam: imagine uma pessoa que trabalhou o dia inteiro, fez mil coisas no escritório, muita correria, agenda lotada, aprovação de projetos, reuniões etc. É claro que essa pessoa chegará ao fim do dia exausta. O que ela faria depois de um dia assim?

Vamos lá. Um indivíduo com predisposição para a extroversão sairia do trabalho e iria adorar ir a uma *happy hour*, num barzinho com os colegas, encontrar outras pessoas, conversar e se divertir. Ele não sairia necessariamente para beber, mas apenas para descontrair, estar num ambiente informal, onde pudesse relaxar e curtir esse momento depois de um dia cheio.

Isso é o que tipicamente acontece com os extrovertidos. É a forma que eles encontram de se reenergizar, de se motivar e recarregar as baterias.

Como isso acontece com você? Depois de um dia cheio, você prefere sair e encontrar pessoas ou ficar sozinho em um ambiente reservado?

Se for um indivíduo com predisposição para a introversão, depois de um extenuante dia de trabalho, muito provavelmente vai preferir ir para casa, relaxar no seu canto, ver algum programa de televisão, sem necessariamente prestar muita atenção ao que está passando. Tudo o que ele quer (e precisa!) é apenas ficar consigo mesmo, num ambiente calmo e seguro. Ele também pode, e isso é comum, ler um livro, ouvir música, ou simplesmente ficar sozinho. Essa é a forma que um introvertido prefere e escolhe para repor energias e se motivar.

Muitas vezes, o(a) companheiro(a) de um introvertido não compreende isso, e acha que o outro não está dando atenção para ele(a), quando, na verdade, essa pessoa está apenas se reenergizando. O mesmo acontece quando o(a) companheiro(a) extrovertido(a) prefere sair com os amigos. Isso pode passar a impressão de que não liga para o(a) parceiro(a) e só pensa em si. **Se as pessoas não tiverem esse conhecimento, essas situações podem gerar ruídos em qualquer relação.**

Há um aspecto importante aqui que precisamos dizer. Muitos acham que as pessoas ou são extrovertidas ou são introvertidas. Na verdade, todos nós temos disposição tanto para a introversão como para a extroversão. O que nos diferencia nesse aspecto é a predominância de uma atitude em relação à outra. É nesse sentido que Jung disse a frase:

"Podemos supor que a extroversão cochila no fundo do introvertido, como uma larva, e vice-versa".

Significa dizer que mesmo uma pessoa com forte predisposição para a introversão poderá ter picos ou momentos de extroversão. E o mesmo ocorre com um extrovertido.

Por exemplo, quando pessoas que normalmente são agitadas, falantes e expressivas num certo momento se calam e ficam um bom tempo quietas, a ponto de seus interlocutores perguntarem se está tudo bem com elas. Ou o contrário: quando alguém costumeiramente calado e reservado de repente se põe a falar e a se expressar com tanto entusiasmo que todos se surpreendem.

Esses são casos interessantes, e acontecem porque a própria pessoa já havia gerado aquela expectativa, de ser alguém extrovertido ou introvertido. Quando isso não se verifica por alguma razão, quer dizer, se a pessoa se comporta de um jeito diferente do esperado, deixa os outros surpresos.

À medida que todos temos essas duas predisposições, quanto maior for a diferença do percentual de introversão e extroversão, menores serão os picos ou os momentos contrários à disposição natural de uma pessoa. Mas eles poderão ocorrer, sem dúvida. Por exemplo, se a sua predisposição para a introversão for maior, as manifestações de picos de extroversão serão mais raras – mas em algum momento vão acontecer.

Quando uma pessoa extrovertida manifesta um pico de introversão, ou seja, comporta-se de maneira contrária a sua disposição natural, ela talvez se sinta constrangida, porque esperam que ela se manifeste *sempre* de maneira extrovertida. É nessas horas que muitos acabam usando certas máscaras, simulando comportamentos, tentando ser aquilo que na verdade não são, e isso pode gerar desconforto e sofrimento.

Quando a pessoa percebe que tudo bem ela ter momentos de introversão e extroversão, é como se tirasse dos ombros um peso imenso de angústia e sofrimento.

A seguir, trazemos um resumo das *atitudes* apresentadas:

▶ Na *Extroversão*, a energia psíquica consciente flui naturalmente em relação ao objeto, isto é, o *tipo extrovertido* focaliza sua atenção no mundo externo, interagindo e se envolvendo com pessoas e experiências. Pessoas assim tendem a se voltar para a ação, deixando o pensamento em segundo plano. Por isso são consideradas, de modo geral, mais sociais e mais conscientes daquilo que acontece a sua volta. Algumas vezes, esses indivíduos são tão orientados para os outros que podem acabar se apoiando quase que exclusivamente nas opiniões alheias, em vez de desenvolver suas próprias impressões. No ambiente profissional, procuram sempre variedade e ação, interagem fluidamente com outras pessoas ou grupos, são comunicativos e abertos e, quase sempre, são generalistas.

▶ Na *Introversão*, a atenção da pessoa está orientada para o mundo subjetivo. Assim, o tipo *introvertido* concentra-se prioritariamente no seu próprio mundo interior, refletindo sobre suas experiências e se alimentando ou se motivando de seus próprios pensamentos e sentimentos. Indivíduos assim são mais voltados à introspecção, tendem a observar mais, ouvir e analisar dados e ideias. Geralmente são especialistas e se destacam em atividades de planejamento que exijam concentração; procuram ambientes silenciosos e preferem trabalhar individualmente ou em pequenos grupos; costumam ser especialistas.

Como dissemos, uma pessoa tem em si as duas disposições, tanto para a extroversão como para a introversão. Essas duas *atitudes*, conforme diz Jung, se excluem mutuamente, pois não podem coexistir ao mesmo tempo num indivíduo. Porém, elas podem se alternar, e isto de fato acontece com frequência, de modo que uma dê lugar à outra. Isso quer dizer que uma pessoa pode ser *extrovertida* em determinadas ocasiões e *introvertida* em outras – mas nunca extrovertida e introvertida ao mesmo tempo. A despeito dessa alternância, existe a predominância de uma delas na maior parte da vida de uma pessoa. Em outras palavras, cada indivíduo pode ser caracterizado com orientação para o seu interior (introversão) ou para o seu exterior (extroversão).

Não há dúvida de que os conceitos de *extroversão* e *introversão* são os mais conhecidos da teoria junguiana. Ressalte-se, porém, que nenhuma das duas *atitudes* é melhor ou pior que a outra. Algumas vezes a introversão pode ser mais apropriada, ou mais oportuna;

em outras ocasiões, a extroversão pode ser mais adequada – uma vez que, como dissemos, não podemos manter as duas atitudes ao mesmo tempo, pois elas se excluem mutuamente. Na medida em que dispomos das duas (ainda que haja uma predominância de uma sobre a outra), o grande desafio é saber usá-las, de forma flexível e equilibrada, e de acordo com as exigências da situação ou da pessoa.

COMO VEMOS E PENSAMOS (OU JULGAMOS) O MUNDO E AS PESSOAS

Como já mencionamos, o desdobramento da Teoria dos Tipos Psicológicos, Jung diz que as pessoas, ainda que propensas à extroversão ou introversão, também podem ser compreendidas a partir de quatro funções psicológicas, que são: *sensação*, *intuição*, *sentimento* e *pensamento*, as quais revelam como elas captam e julgam informações para se relacionar com o mundo externo ou interno.

Em resumo, temos:

1. As funções *perceptivas* (irracional)[8]: Sensação (S) x Intuição (N):
   – são classificadas como formas de apreender informação, ou seja, indicam a maneira pela qual o indivíduo tem preferência por perceber, interpretar, sentir o meio a sua volta.

2. As funções de *julgamento* (racional): Pensamento (T) x Sentimento (F):
   – revelam a maneira pela qual o indivíduo tem disposição para fazer seus julgamentos e elaborar suas conclusões.

---

[8] Essas funções são chamadas irracionais porque não demandam o uso da razão, isto é, do pensamento consciente. Já as racionais demandam reflexão consciente do indivíduo.

> **Exemplo:**
> *As funções psicológicas (sensação, pensamento, sentimento e intuição), em conjunto com as atitudes de introversão e extroversão, representam os Tipos Psicológicos. Como diz Jung, as quatro funções são como os quatros pontos cardeais num indivíduo – isto é, o orientam no mundo e em seus relacionamentos.*

FORMA DE CAPTAR INFORMAÇÃO

Sensação (S)

A *Sensação* (S) é uma função que se baseia nas percepções sensoriais, permitindo que o indivíduo tenha um enfoque objetivo na experiência, na percepção de detalhes e na realidade concreta. Pessoas assim têm preferência por obter informações reais, por meio dos cinco sentidos. São objetivas, querem dados palpáveis, tangíveis e não só confiam como valorizam todos os seus sentidos para compreender de modo objetivo uma situação. Pessoas movidas pela *sensação* são práticas, precisas, realistas e muito interessadas no aqui e no agora, sempre valorizando a observação de detalhes. Os *tipos sensitivos*, como são chamados, tendem a responder de maneira imediata à situação vivida, e lidam de forma eficaz com todos os tipos de crises e momentos emergenciais. No ambiente de trabalho, atuam com métodos, processos conhecidos, fatos e comprovações práticas.

Intuição (N)

A *Intuição* (N) é a percepção que ocorre por meio de processos inconscientes e de conteúdos subliminares. É a forma como nossa mente trabalha informações relacionadas a processos inconscientes de possibilidades futuras (*pressentimentos*), objetivos a alcançar (*inspiração*), e ao que é abstrato (*palpite*). As possibilidades (aquilo que pode vir a ser) são mais importantes para os *intuitivos* do que a experiência real. Pessoas fortemente intuitivas dão significado às suas percepções com tamanha rapidez que, de modo geral, não conseguem separar suas interpretações conscientes dos dados práticos. Elas processam a informação muito depressa e relacionam, de forma automática, a experiência que já passaram com as informações relevantes da experiência imediata. Tendem a ser mais criativas e têm grande facilidade para encontrar novas oportunidades e maneiras diferentes de fazer as coisas. Observam o todo na busca de novas soluções, têm maior disposição para planejar do que para executar, confiam na inspiração para produzir e possuem uma visão de futuro, pela qual veem com clareza cenários de médio e longo prazo.

> *Pessoas movidas pela sensação são práticas, precisas, realistas e muito interessadas no aqui e no agora, sempre valorizando a observação de detalhes.*

Vamos a um exemplo sobre como os sensitivos e intuitivos agem.

Duas amigas, uma sensitiva e outra intuitiva, vão a um restaurante e experimentam uma torta de ricota. A sensitiva diz que adorou e vai pedir a receita para fazer a torta em casa. Ela pergunta para a amiga, que é intuitiva: "Você não quer anotar a receita, já que gostou tanto também?". A intuitiva diz: "Eu pego depois com você. Me manda uma foto pelo celular". Ou seja, a sensitiva quer logo fazer a torta, quer pôr a coisa em prática, e tem prazer em fazer isso imediatamente. Já a intuitiva não demonstra pressa, nem ansiedade, até parece despreocupada, e diz que vai pensar depois.

Na hora de fazer a torta, também fica claro como elas são diferentes. A sensitiva vai tentar fazer a torta da maneira mais exata possível, do jeito que está na receita. Se for preciso bater as claras dos ovos tantas e tantas vezes no sentido horário, a sensitiva vai fazer exatamente assim. Ela chega ao requinte de cortar os ingredientes com precisão, na largura indicada na receita, respeitando todos os tempos de preparação da massa, cozimento etc. O prazer da sensitiva é tanto que, no momento em que saborear a torta, irá sentir o mesmo prazer que sentiu quando a experimentou pela primeira vez no restaurante. E talvez diga: "Hummmm, ficou igualzinha!".

Já a personagem intuitiva é muito diferente. Muito tempo depois, diante da necessidade de cozinhar uma receita diferente, ela se lembra da maravilhosa torta de ricota e então liga para a amiga para pedir a receita. A amiga sensitiva manda a receita, e a intuitiva começa a cozinhar. Bom, o preparo não vai ser tão rigoroso assim, pois, como a receita está sendo feita de última hora, ela não tem todos os ingredientes. Falta o principal: a ricota. Mas isso não é problema! A pessoa intuitiva, em uma situação assim, certamente vai substituir e adaptar o que for necessário. Nesse caso, a solução é usar o queijo provolone que está perdido na geladeira. No fim das contas, quando a intuitiva vai experimentar o prato, não cabe em si de tanto contentamento porque, com todas as dificuldades, acabou criando um novo jeito de fazer a receita– bem diferente da original. E, claro, vai dizer que o sabor não está tão igual ao da torta do restaurante. Na verdade "está até melhor" que o original.

Vamos a outro exemplo.

As mesmas diferenças podem ser observadas em dois estagiários encarregados de realizar uma mesma tarefa. Um deles é intuitivo e o outro é sensitivo. A tarefa é fazer um relatório sobre cenários econômicos e entregá-lo ao gestor em uma semana. O sensitivo irá avaliar todas as informações solicitadas, vai pesquisar para saber se já existe algum relatório padrão que possa orientá-lo, irá analisar diferentes modelos desses relatórios, extrair o que houver de melhor em cada um desses documentos e preparar o seu com o máximo rigor possível.

O estagiário intuitivo irá fazer uma pesquisa no Google, e logo fará o download do primeiro modelo que encontrar. Com esse modelo, ele irá juntar informações rápidas, também colhidas na internet, adaptar comentários e entregar rapidamente o documento ao gestor. Mesmo sem muita análise, irá conseguir fazer uma projeção sobre os possíveis cenários da economia, pois correlacionou com criatividade os dados.

No caso do estagiário sensitivo, a preocupação é fundamentar os dados. Já para o intuitivo, a preocupação é passar um panorama sobre o futuro. São leituras diferentes, mas condizentes com as percepções de ambos os estagiários.

Talvez você se pergunte: quem fez o melhor trabalho, o melhor relatório?

Resposta: isso vai depender, em primeiro lugar, do perfil e do objetivo de quem está pedindo o relatório. Saber o que se está buscando é um ótimo parâmetro para avaliar quem fez o melhor relatório. Isso significa dizer que, a princípio, sendo ambos responsáveis, não se pode afirmar que um relatório está errado e o outro certo. O mais correto aqui seria avaliar qual relatório é mais adequado às necessidades do gestor.

O ponto que precisamos aqui é reconhecer que, se pelo menos um deles (entre os dois estagiários e o gestor) tiver conhecimento dos tipos psicológicos envolvidos, terá mais sucesso na empreitada.

Por exemplo, se o gestor conhece bem os estagiários, compreendendo com clareza a forma como ambos percebem o mundo, irá pedir a cada um deles exatamente aquilo que estará ao alcance de cada um. Se a ideia é apenas ter um panorama do futuro econômico da companhia ou do mercado, provavelmente o estagiário com um comportamento mais intuitivo fará um trabalho mais adequado. Se a ideia é ter dados e fundamentos, o estagiário sensitivo provavelmente estará melhor preparado.

O intuitivo vê com bastante facilidade cenários futuros, prováveis, e consegue quase pressentir determinadas situações.

Já o sensitivo trabalha muito bem com detalhes, dados objetivos e concretos. Mesmo onde isso não é muito claro, ele consegue organizar informações que lhe deem alguma segurança concreta.

De todo modo, a pergunta a ser feita é: o que você está buscando? Quem poderá atendê-lo da maneira mais adequada possível? Em ambos os casos será preciso conhecer e decifrar as pessoas envolvidas na operação.

FORMAS DE AVALIAR E JULGAR: COMO VOCÊ TIRA CONCLUSÕES

Pensamento (T)

Uma das atividades mentais mais intensas, a função *Pensamento* (T) busca associar ideias para compreender ou solucionar um problema. É uma função intelectual que tenta entender as coisas a partir de critérios impessoais, racionais e objetivos. *Tipos pensantes* sentem-se mais seguros por tomar decisões práticas e lógicas, a partir da observação. São reflexivos e trabalham com políticas e regras claras e universais. Quase sempre se orientam pela busca de objetivos concretos, palpáveis, e demonstram certa frieza em suas análises, pelo fato de assim conseguirem uma avaliação isenta de julgamentos pessoais. Pessoas do *tipo pensante* são grandes estrategistas, atuam e reagem de maneira lógica, racional, e tendem a se agarrar com firmeza a seus planos e teorias, ainda que sejam confrontadas com controvérsias e um ambiente desfavorável.

Sentimento (F)

O *Sentimento* (F) é uma função avaliadora que parte da emoção para perceber as coisas. É comum, nesse caso, aceitar ou rejeitar uma ideia tendo por base apenas o sentimento agradável ou desagradável que tal ideia sugere. *Tipos sentimentais* são orientados para o aspecto emocional da experiência. Têm preferência por tomar decisões levando em consideração valores e necessidades humanas. Com muita facilidade, se colocam mentalmente na situação do outro, identificando-se com as pessoas envolvidas, e motivando-se por valores de solidariedade e busca pelo bem do próximo. Pela própria natureza da função, esses *tipos* possuem maior disposição para emoções fortes e intensas, mesmo que negativas – evitam a neutralidade e a apatia. Princípios abstratos são muito valorizados pela pessoa *sentimental*. Para ela, a tomada de decisão é um exercício que se pauta de acordo com o julgamento de valores próprios – em que ela acredita, e que tem como verdades suas –, como: valores do bem ou do mal, do certo ou do errado, do agradável ou do desagradável. O sentimental, diferente do que se possa imaginar, não é aquela "manteiga derretida", que chora ou se emociona à toa. Aqui ele tem o dom da empatia, isto é, olha para o outro e compreende o que ele está sentindo e vivendo. Geralmente se voltam para o convívio pessoal, são receptivos e orientados para a realização de ideais.

Vamos a um exemplo.

Um casal em que a esposa é sentimento (F) e o marido é pensamento (T). Digamos que a esposa acorda numa certa manhã querendo ouvir do marido que ele ainda a ama. Todo o seu dia se voltará para isso: ela vai fazer coisas que possam agradar o marido, como preparar um prato especial para ele, ligará durante o dia dizendo-lhe que fará uma surpresa romântica, tentará seduzi-lo, enfim, fará tudo, e de todas as formas, para chamar romanticamente a atenção dele.

O marido, por sua vez, responde de maneira objetiva, quase lógica, a todas essas abordagens. Quando chega em casa, cansado após um longo dia de trabalho, janta como se aquele fosse um dia igual aos outros. Sobre a comida, diz apenas que estava boa, que está satisfeito, e depois vai para a sala, liga a televisão, quer ver jornal e mais nada. A esposa, ante o silêncio dele, pergunta: "Você ainda me ama?". E o marido, um típico "pensamento", responde da maneira mais lógica e natural possível: "Se eu me casei com você, é óbvio que sim!".

Outro exemplo (num cenário que envolve uma questão de julgamento): o gestor de uma certa empresa, por conta de certos ajustes orçamentários, pede ao supervisor de vendas que dispense duas pessoas de sua equipe. Digamos que esse supervisor seja uma pessoa do tipo pensamento (T). Ele rapidamente irá consultar planilhas e verificar, entre outros critérios técnicos e objetivos, quem vendeu mais (ou menos) no período, quem deixou de alcançar as metas estabelecidas, e, com muita facilidade, a partir desses dados, irá apresentar ao gestor os nomes das pessoas que poderão ser dispensadas.

Vamos imaginar agora, no mesmo caso, que o supervisor de vendas seja um tipo sentimento (F). Sua atitude será radicalmente contrária à do tipo pensamento (T). Ele irá avaliar, por exemplo, as pessoas de sua equipe a partir de critérios que vão além dos técnico-funcionais. Irá considerar, por exemplo, quem é pai de família naquela equipe, quem é mais necessitado, e, em certos casos, talvez vá tentar até conseguir algum remanejamento para algum membro da equipe. Ou seja, ele tende a ter um comportamento mais humano, com base em seus próprios valores.

O T (pensamento), portanto, é bastante pragmático, direto e realista. O F (sentimental) é mais pessoal, faz considerações às vezes subjetivas.

Cabe, também aqui, a pergunta: será que um é melhor do que o outro?

A resposta é: a pergunta não é essa! Os dois têm valor. Tudo depende do que precisamos, do momento vivido, do ambiente, dos interesses. Daí a importância de conhecermos os tipos. Só assim saberemos escolher ou indicar a pessoa certa para o lugar e o momento certos.

Muitos também nos perguntam se é possível desenvolver ou melhorar alguns desses pontos. A resposta é *sim*, pois você sempre pode desenvolver aquilo que não é natural em você. Por exemplo: alguém muito sensitivo e pouco intuitivo, ao tomar conhecimento dessas características, pode se dar conta de que valeria a pena explorar o seu lado intuitivo, que até então estava meio apagado. Poderá, portanto, treinar essa percepção, aprender mais sobre como ela funciona, abrir mais oportunidades para exercitá-la. Com certeza terá benefícios, e irá melhorar essa outra disposição. Da mesma forma, uma pessoa com mais Pensamento, ao se dar conta dessa característica, poderá tentar avaliar dados mais subjetivos, que não são tão claros nem imediatos, permitindo-se ser mais generosa, mais amiga, aprendendo a se colocar mais no lugar do outro.

Isso não quer dizer que essa pessoa irá deixar de ser o que sempre foi. Apenas que poderá aprender a usar e explorar melhor, e de forma mais adequada, suas outras potencialidades.

O T (pensamento), portanto, é bastante pragmático, direto e realista. O F (sentimental) é mais pessoal, faz considerações às vezes subjetivas.

É interessante observar aqui que todas essas funções psicológicas podem ser exercidas tanto por pessoas extrovertidas quanto introvertidas. Isso quer dizer que, mesmo quando há a mesma disposição de atitudes (extroversão e introversão), o modo como percebem e avaliam o mundo e as pessoas pode ser diferente. No quadro a seguir, isso fica mais claro:

As quatro Funções Psicológicas Fundamentais e sua classificação			Atitudes	
Funções perceptivas ou de captação	O mundo, pessoas, experiências são apreendidos de forma direta, sem julgamento ou avaliação.	Sensação (S)	Extrovertidas	Introvertidas
		Intuição (N)		
Funções avaliativas ou de julgamento	O mundo, pessoas, experiências são apreendidos de forma criteriosa. Há elaboração e decisão.	Pensamento (T)		
		Sentimento (F)		

Observe os quadros a seguir e tente descobrir qual o seu tipo de acordo com os Tipos Psicológicos de Jung.

Quadro 1

Função psicológica: Percepção – como percebo o mundo e as pessoas	
Sensação (S)	**Intuição (N)**
Preferência por captar informações através dos cinco sentidos, percebendo e compreendendo objetivamente a realidade de uma situação.	Preferência por captar informações através do "sexto sentido", observando e intuindo sobre o futuro ou o que *pode vir a ser*.
Características	**Características**
Olhar o que é real – a situação concreta.	Ver o "todo" – e não os detalhes.
Valorizar aplicações práticas.	Valorizar uma visão imaginativa.
Orientar-se pelos fatos.	Ser abstrato e teórico.
Observar detalhes.	Orientar-se para o futuro.
Interessar-se por objetivos práticos.	Buscar novas soluções.
Confiar na experiência.	Confiar na inspiração.

Você se identificou mais com a função Sensação ou Intuição?

Se na maior parte do tempo você é guiado pela Intuição (N), quais resultados e consequências isso tem lhe trazido?

_____
_____
_____

Caso você seja guiado na maioria das vezes pela Sensação (S), quais resultados e consequências isso tem lhe trazido?

_____
_____
_____

Tendo em mente que nada está tão bom que não possa sempre melhorar, responda: o quanto seria importante para o seu crescimento analisar as situações sob outra ótica? O quanto você tem valorizado formas diferentes da sua de perceber o mundo?

_____
_____
_____

Quadro 2

Função psicológica: Julgamento – Como avalio o mundo e as pessoas	
Pensamento (T)	Sentimento (F)
Preferência por informações organizadas para decidir de forma estruturada, racional e objetiva.	Preferência por informações estruturadas para decidir de forma pessoal e com base em seus próprios valores.
Características	Características
Ser analítico e objetivo.	Ser ponderado em suas decisões.
Resolver problemas de maneira lógica.	Ser guiado por valores pessoais.
Raciocinar com base em "causa e efeito".	Ser bastante sensível.
Buscar falhas em argumentos.	Ser compreensivo.
Gostar da verdade objetiva e impessoal.	Possuir grande compaixão.
Planejar e seguir à risca seus planos.	Buscar a realização de ideais.

Você se identificou mais com a função Pensamento ou Sentimento?

Se na maior parte do tempo você é guiado pelo Pensamento (T), quais resultados e consequências isso tem lhe trazido?

_____
_____
_____

Caso você seja guiado na maioria das vezes pelo Sentimento (F), quais resultados e consequências isso tem lhe trazido?
_____
_____

Tendo em mente que nada está tão bom que não possa sempre melhorar, responda: o quanto seria importante para o seu crescimento analisar as situações sob outra ótica? O quanto você tem valorizado formas diferentes da sua de tirar conclusões sobre os acontecimentos?
_____
_____

MAPEAMENTO DO SEU TIPO

É importante que você tenha claro o modo como todas essas atitudes, disposições e preferências se articulam. Você já sabe que todo indivíduo tem em si disposição para as duas atitudes (*introversão* e *extroversão*). O que vai definir sua preferência será a predominância de uma delas sobre a outra. Quando Jung elaborou sua teoria, ele também descobriu, a partir disso, que essas disposições se opõem nos planos consciente e inconsciente. Isto é, se uma pessoa é extrovertida, ela será introvertida no plano inconsciente. Essa correspondência funciona dentro de um conceito de compensação, que é próprio da psique, e tem por objetivo adaptar o indivíduo ao ambiente.

O mesmo ocorre com as quatro funções psicológicas: Sensação (S), Intuição (N), Pensamento (T) e Sentimento (F) – isto é, com a dinâmica pela qual um indivíduo percebe e avalia o mundo e as pessoas. Isso quer dizer que todos temos, em diferentes proporções, essas disposições e preferências para perceber e julgar a vida, o mundo, o trabalho, a família e os amigos.

Agora que você compreendeu o que há por trás do seu comportamento, nós o convidamos a, no próximo capítulo, entender os seus porquês, o que move você na direção dos seus objetivos e está por trás de todas as suas escolhas. Mas antes disso, para reforçar todo o aprendizado deste capítulo, acompanhe a seguir um quadro-resumo sobre os Tipos Psicológicos.

Quadro-Resumo dos Tipos Psicológicos Junguianos

1. Atitude

Se sua *Atitude Preferencial* for **Extroversão (E)**:

Nesse caso, há preferência a concentrar a energia consciente *no objeto*, ou seja, no mundo exterior (realidade objetiva, ambiente), nas pessoas, experiências e coisas. Portanto, temos:

- Maior disposição para a ação, podendo até mesmo agir impulsivamente.
- Busca constante por sintonia com o ambiente externo.
- O indivíduo é mais sociável e geralmente usa de sua expressividade.

Se sua *Atitude Preferencial* for **Introversão (I)**:

Aqui, há preferência em concentrar a energia consciente *no sujeito*, ou seja, no mundo interior (realidade subjetiva, psíquica), nas próprias emoções, reflexões e impressões pessoais. Assim, temos:

Maior disposição à reflexão, podendo até não realizar ação alguma.

Busca permanente por sintonia com o mundo interno;

O indivíduo é mais reservado e costuma utilizar sua capacidade de concentração.

2. Função Psicológica

Percepção

Se sua Função Perceptiva principal for **Sensação (S)**:

Há clara preferência por captar informações através dos cinco sentidos, percebendo e compreendendo objetivamente uma situação. Assim, você:

Focaliza o que é real.

Valoriza aplicações práticas.

Orienta-se para os fatos.

Observa detalhes.

Demonstra interesse em objetivos práticos.

Confia na experiência.

Se sua Função Perceptiva principal for **Intuição (N)**, você demonstra preferência por captar informações através do chamado "sexto sentido", observando e intuindo sobre o que pode vir a ser. Dessa forma, você:

- Focaliza o "todo", considera as possibilidades.
- Valoriza uma visão imaginativa.
- É abstrato e teórico.
- Está orientado para o futuro.
- Busca novas soluções.
- Confia na inspiração.

Julgamento

Se sua Função de Julgamento principal for **Pensamento (T)**, há aqui nítida preferência por informações organizadas, de tal modo que lhe permita decidir de forma estruturada e racional. Logo, você é:

- Analítico.
- Resolve problemas de forma lógica.
- Seu raciocínio se baseia em "causa e efeito".
- Procura falhas em argumentos.
- Gosta da verdade objetiva e impessoal.
- Julga com base na razão, de forma impessoal e imparcial.

Se sua Função de Julgamento principal for **Sentimento (F)**, você prefere usar informações estruturadas para decidir de forma pessoal e com base em seus próprios valores. Dessa forma, você...

- Avalia o impacto de suas decisões sobre as pessoas.
- É guiado por valores pessoais.
- É bastante sensível.
- É compreensivo.
- Possui grande compaixão.
- Julga com base nos sentimentos e nas emoções.

SAIBA MAIS

Carl Gustav Jung

Desde o início de sua vida acadêmica, Carl Gustav Jung (1875-1961) sempre se mostrou interessado pelos fenômenos psíquicos. Formou-se em medicina pela Universidade da Basileia em 1900 e obteve seu doutorado na Universidade de Zurique, com a dissertação *Psicologia e patologia dos fenômenos chamados ocultos*, em 1902.

Filho de um pastor luterano, a religião sempre fez parte do universo de Jung, tanto que os fenômenos espirituais e o papel da religião no processo de amadurecimento psíquico das pessoas estão entre as fontes de estudo do psiquiatra, bem como a filosofia e a simbologia mitológica.

Em 1904, montou um laboratório experimental, onde desenvolveu um teste de associação de palavras para o diagnóstico psiquiátrico. Nessa avaliação, a pessoa respondia uma lista padronizada de palavras-estímulos, e qualquer demora irregular no tempo médio de resposta ou agitação entre o estímulo e a resposta provavelmente indicava uma tensão emocional relacionada, de alguma forma, com o sentido da palavra-estímulo. Posteriormente, esse mesmo teste foi aperfeiçoado e adaptado por inúmeros psiquiatras e psicólogos para também envolver imagens, palavras, objetos, desenhos e sons.

Estes estudos de Jung lhe deram destaque, levando-o à academia aos 30 anos como professor de psiquiatria da Universidade de Zurique, em 1905. Apenas dois anos depois, em 1907, Carl Jung passou a ter um contato mais próximo com Sigmund Freud, criador da psicanálise. Os dois viajavam juntos aos Estados Unidos ministrando palestras e, em 1910, fundaram a "Associação Psicanalítica Internacional".

No entanto, pouco tempo depois Jung e Freud cortaram relações, pois seus estudos caminhavam em sentidos opostos. Jung contestava as teorias do colega, que, por sua vez, não admitia que fenômenos espirituais servissem como fonte de estudo para Jung. Em 1911 a relação chegou totalmente ao fim quando Jung publicou *Psicologia do inconsciente*, que trazia alguns argumentos contra as ideias de Freud.

Ao longo de sua carreira, Jung buscava as diferenças entre o significado dos conteúdos do inconsciente com o objetivo de diferenciar a psicologia individual e a psicanálise. Destacou-se ao se aprofundar no estudo dos desenhos e sonhos, ambos associados ao inconsciente, e utilizava suas próprias experiências como base, pois era bastante introspectivo e questionador. Queria entender como o consciente era influenciado pelo inconsciente.

Publicou em 1917 o livro A *psicologia do inconsciente*, onde abordava o inconsciente coletivo, a camada mais profunda da psique, um conjunto de sentimentos, pensamentos e lembranças compartilhadas por toda a humanidade, herdados de nossos ancestrais.

Já em 1921 publicou a obra *Tipos Psicológicos*, onde apresentou os conceitos de introversão e extroversão. Foi a partir daí que Jung estabeleceu bases ainda mais resistentes para a psicologia analítica, desenvolvendo a teoria dos arquétipos e incorporando conhecimentos das religiões orientais e da mitologia.

Carl Gustav Jung morreu aos 86 anos e é considerado um dos mais influentes pensadores do século XX.

4

CRENÇAS E VALORES

Nossas convicções definem tanto
o que somos quanto o que fazemos –
e influenciam inclusive a maneira
como avaliamos os outros.
São reflexos de nossas crenças
e valores.

Você sabe por que está lendo este livro, precisamente neste momento de sua vida? Muitos acreditam que decisões como a leitura de um livro, assim como a de escolher entre assistir a um documentário e ir a uma exposição de arte, são ações corriqueiras e aleatórias. No entanto, nossas escolhas são na maior parte das vezes motivadas por nossas crenças – mesmo quando não conhecemos quais crenças são estas.

Talvez você tenha começado a leitura desta obra motivado pelo conhecimento que ele vai proporcionar. Outra possibilidade é que você tenha pensado que pode ajudar outras pessoas com o que está aprendendo aqui. Talvez tenha sido motivado pela utilidade prática desse conhecimento no seu dia a dia, pensando como pode ganhar mais dinheiro ou economizar tempo com este aprendizado. Ou quem sabe sua maior motivação seja utilizar este livro para ser um líder melhor e conseguir alavancar sua carreira

Ou seja, desde a simples leitura de um livro até decisões que podem mudar uma vida, as escolhas das pessoas podem ser explicadas por determinados parâmetros. O que temos, o que fazemos, com quem nos relacionamos e, finalmente, quem somos: tudo isso é determinado pelas crenças que possuímos sobre nós mesmos e pela maneira como nos vemos internamente. Em outras palavras, nossa existência é determinada pelas nossas maiores certezas e pelas convicções mais profundas que temos sobre nós e sobre o mundo, isto é, por nossas crenças.

> "Nossas crenças influenciam todas as nossas escolhas mais significativas e importantes, direcionando todas as decisões e determinando a vida que levamos."
>
> Paulo Vieira

Tudo o que você faz está conectado com aquilo em que acredita. São essas crenças que determinam suas escolhas no mundo. Essa é a mecânica do sistema, e em si ela não é nem boa nem ruim. O que faz a diferença é saber se suas crenças são limitantes ou se elas o motivam e estimulam para grandes conquistas. Ou seja: importa, e muito, saber a qualidade de suas crenças. Além de, evidentemente, conhecê-las!

A propósito, você sabe quais são as suas crenças?

O filósofo Platão, num texto chamado "Alegoria da caverna", mostra que, a partir do momento em que nos libertarmos da escuridão de nossas crenças limitantes, e retirarmos dos olhos as escamas que nos impedem de enxergar quem somos verdadeiramente, estaremos prontos para ir ao encontro da luz abundante do mundo que está lá fora. De maneira resumida, a "Alegoria da caverna" nos conta:

Na alegoria, Platão nos fala de alguns prisioneiros que viviam acorrentados numa caverna, e que passavam todo o tempo olhando para a parede do fundo da rocha, que era iluminada pela luz de uma fogueira. Nessa parede são projetadas as sombras de estátuas que representam pessoas, animais, plantas e objetos, mostrando situações do dia a dia. Os prisioneiros ficam dando nomes às imagens (sombras), e analisando e julgando as situações projetadas na parede.

Um dia, um dos prisioneiros é libertado, e sai para explorar o interior da caverna e o mundo externo. Em contato com a realidade, percebe que passou a vida toda analisando e julgando apenas imagens projetadas por estátuas. Ele fica encantado com o mundo real, e com os seres de verdade. Ao voltar para a caverna e falar das maravilhas do mundo lá fora, é ridicularizado pelos colegas, que só conseguem acreditar na realidade que enxergam na parede. Os prisioneiros o chamam de louco, e o ameaçam de morte caso não pare de falar daquelas ideias "absurdas".

Para você refletir:

Em que situações, na sua vida, você já agiu como os prisioneiros da caverna, recusando-se a acreditar que existiam opiniões mais relevantes do que a sua? Quantas vezes você teve humildade para sair da caverna e explorar o mundo fora dela?

_____

_____

_____

Quais aprendizados você teve ao ler a alegoria da caverna?

_____

_____

_____

Sair da caverna, muitas vezes, é a etapa mais importante da vida de alguém. Momentos como esse são significativos em nossa existência, sejam eles bons ou ruins. Eles moldam profundamente aquilo que somos. Por isso, convidamos você a escrever abaixo os três momentos mais importantes de toda a sua vida. Pense em situações marcantes, aquelas que você jamais esqueceu.

Os três momentos mais importantes de minha vida:

1. _____
2. _____
3. _____

Se você observar essas situações, certamente vai perceber que elas reproduzem os princípios e as crenças que você mais valoriza na vida. Isso é algo que acontece de maneira natural com cada um de nós. Aquilo que de fato é mais marcante em nossa caminhada quase sempre está atrelado aos nossos valores.

Conhecer os valores que nos guiam nos auxilia a compreender melhor o nosso modo de agir e o porquê de tentarmos atingir certos objetivos. Tanto quanto nos ajuda a decifrar as pessoas que estão a nossa volta, compreendendo sua relação com o que fazem e com o que buscam na vida.

Ainda como exercício preliminar, que princípios ou valores você associaria a cada um dos eventos mais marcantes de sua vida citados anteriormente?

_____

_____

_____

Antes de mergulharmos no fascinante tema de Valores, vamos retomar alguns aspectos para compreender melhor como essa teoria é absolutamente decisiva nas definições do que somos e do que buscamos na vida.

Do que vimos até aqui, precisamos ter em mente dois importantes pontos para começar a compreender a forma como agimos em nossas vidas e em nossos relacionamentos. O primeiro se refere às possibilidades de comportamento, conforme apresentamos na Teoria DISC (Capítulo 2). O segundo ponto é que esses comportamentos são a expressão do que Jung explica em sua Teoria dos Tipos Psicológicos (Capítulo 3). Tanto Marston (na teoria DISC) quanto Jung (nos Tipos) concordam – e cada um à sua maneira – que esses aspectos revelam *possibilidades* e *tendências* de comportamento. Não são, portanto, rótulos definitivos e imutáveis. Por exemplo, uma pessoa Influente é normalmente falante, mas, ao se dar conta de que certo ambiente exige que ela escute mais, poderá se calar para que outra pessoa fale e se manifeste.

Quando você se percebe e se autoconhece, pode aprimorar suas condutas, e passa a agir de acordo com a situação e as pessoas que o cercam. Ou seja, você pode usar as características positivas do seu perfil e aprender a lidar ou controlar melhor as características que não forem convenientes em determinado contexto, atuando com mais precisão e harmonia em seus relacionamentos – sejam eles profissionais, familiares ou sociais.

Isso é perfeitamente possível porque temos em nós *todos* os fatores indicados na Teoria DISC, assim como *todas* as atitudes e disposições indicadas por Jung. O que diferencia esses aspectos em nossa personalidade é a frequência ou a intensidade de como se manifestam em cada um de nós.

Como você lembra, tanto o DISC quanto os Tipos, de Jung, descrevem comportamentos, atitudes, disposições e intenções – e até a forma como nos reenergizamos. No entanto, nem um nem outro nos diz a razão das nossas escolhas ou o porquê das nossas decisões.

Perguntar o porquê é fundamental, pois essa resposta define o modo como você vive e caminha pelo mundo. Pense nos aspectos de sua vida que lhe permitem desenvolver seus potenciais e se realizar como pessoa e como profissional. Agora responda:

O que no seu cotidiano impulsiona o seu crescimento? Escreva sobre isso nas linhas abaixo.

_____
_____
_____

Nossas crenças moldam os nossos valores. Estes, por sua vez, se retroalimentam dessas mesmas crenças, assim como uma chama que se alimenta da queima do pavio. É nesse ponto que nossa viagem neste livro ganha sentido e propósito, pois é a partir daqui que começamos a compreender por que fazemos o que fazemos, o que estamos buscando na vida e no mundo, e que tipo de pessoas estamos tentando ser.

EXPERIÊNCIA E FORMAÇÃO

E o que são, afinal, crenças?

Tudo o que vemos, ouvimos e sentimos, repetidamente ou sob forte impacto emocional, gera em nós uma crença. Imagine uma criança que viveu em um lar onde seus pais sempre falavam sobre o estudo como algo muito positivo. Ela via os pais estudarem e sentia-se amparada nos deveres de casa. Seus pais criavam formas inovadoras de ensinar novos conhecimentos. Essa criança provavelmente terá crenças positivas sobre o ato de estudar e aprender, pois vai relacionar isso às coisas boas que viu, ouviu e sentiu.

Agora imagine outra criança, cujos pais negligenciaram a educação. Ela viu o desprezo dos pais pelo estudo, ouviu-os dizer que era uma criança burra, e ainda apanhava quando tirava notas baixas. Com certeza essa outra criança vai associar o estudo à dor e à punição, e, provavelmente, terá crenças negativas sobre estudar e aprender. Mesmo que, racionalmente, ela saiba que a educação é importante, assistir a uma aula ou pegar em um livro parecerá algo ruim, cansativo, torturante.

Em outras palavras, o indivíduo vivencia uma experiência que, por sua vez, gera determinada crença. É essa crença que vai moldar e definir certos valores para essa pessoa. Ao longo do tempo, esses valores vão direcionar ou pautar as atitudes na vida. É um processo extremamente dinâmico e complexo, e determina a formação moral, ética, cultural e até intelectual desse indivíduo. Voltando ao exemplo das duas crianças: a primeira certamente vai ter mais interesse por aprender novas coisas do que a segunda. Ou seja, as crenças sobre adquirir novos conhecimentos vão moldar seus valores e suas atitudes.

É importante ter em mente que todos nós possuímos as mais variadas crenças e valores. Às vezes não temos clareza de quais são elas e de como isso nos afeta. No entanto, não tenha dúvida: em última instância, você e todas as pessoas que conhece estão de alguma forma sendo pautados por aquilo em que mais acreditam – de modo consciente e inconsciente.

E isso se reflete, entre outras inúmeras instâncias:

- ▶ No que você faz (e no jeito como faz).
- ▶ No que você tem – e acumula.
- ▶ Nas amizades que escolhe.
- ▶ No que estuda e aprende.
- ▶ Na carreira profissional.

- ▶ No exercício do seu cargo.
- ▶ Na empresa em que escolheu (sim, foi uma escolha!) trabalhar.
- ▶ Na forma como lida com os problemas.
- ▶ No trato com as pessoas.
- ▶ Nas escolhas financeiras que faz.
- ▶ Nas pessoas com as quais escolheu viver.

O indivíduo vivencia uma experiência que, por sua vez, gera determinada crença. É essa crença que vai moldar e definir certos valores para essa pessoa.

As suas escolhas, interesses e vontades em relação ao mundo, às pessoas e a si mesmo refletem as suas crenças, como expusemos acima. Se você hoje está feliz ou infeliz, magro ou com sobrepeso, casado ou solteiro, isso reflete as suas crenças.

Como você pode ver, essa é uma percepção muito abrangente. Envolve o que temos, fazemos, as pessoas com as quais nos relacionamos e, finalmente, tudo o que somos. Em outras palavras, nossa existência é determinada pelas nossas maiores certezas e pelas convicções mais profundas que temos sobre nós e sobre o mundo. Isso nem sempre é claro e nem se manifesta de maneira consciente. Contudo, é o que nos dirige no mundo.

"Se você pensa que pode ou se pensa que não pode, de qualquer forma você está certo."

Henry Ford

Se esmiuçarmos as conexões que dão sustentação às nossas crenças, vamos descobrir uma interessante associação entre competências emocionais e comportamentos e atitudes, que se divide em três níveis, cujos impactos se manifestam no que somos, fazemos e temos.

O primeiro desses níveis abrange a dimensão do *ser* – ou o que chamamos de *crença de identidade*; o segundo nível engloba a dimensão do *fazer* – ou a correspondente *crença da capacidade*; e o terceiro nível abarca a dimensão do *ter* – e associa-se à *crença de merecimento*.

Vamos ver isso mais de perto.

O PRIMEIRO NÍVEL: O SER – OU CRENÇA DE IDENTIDADE

A crença do "eu sou" determina o quanto gostamos (ou não) de nós mesmos. Chega a definir se nos vemos como vítimas ou se seremos vitoriosos. Esse tipo de crença é o que nos faz acreditar se vamos ou não vencer um desafio, se ficaremos em segundo lugar ou se perderemos algo (um posto, uma promoção etc.). Também estabelece se vamos nos relacionar com uma pessoa *de valor* ou com alguém *sem valor*. Ou, ao contrário, se em razão disso iremos nos desvalorizar ou nos maltratar – e até se trairemos ou se seremos traídos. As crenças que você tem sobre si mesmo determinam desde o seu próprio valor até a sua autoimagem – e o que decorre disso em termos de resultados e comportamentos.

A crença do "eu sou" determina o quanto gostamos (ou não) de nós mesmos.

O SEGUNDO NÍVEL: O FAZER – OU A CRENÇA DE CAPACIDADE

A crença de capacidade é determinada pelo que acreditamos ser capazes de *fazer* ou de aprender a *fazer*. É essa estrutura de crença que dita o potencial de realização de uma pessoa. No entanto, ressalte-se, essa crença dita *apenas* o potencial de realização, pois o que acontece propriamente, isto é, de fato, é determinado pela combinação da *crença de identidade* (o *ser*) com a *crença de capacidade* (o *fazer*).

A crença de capacidade é determinada pelo que acreditamos ser capazes de fazer ou de aprender a fazer.

O TERCEIRO NÍVEL: O TER – OU CRENÇA DE MERECIMENTO

O terceiro nível é o *ter*: a crença de merecimento ocupa o topo da pirâmide das crenças que formam o indivíduo. Quando temos uma forte *crença de identidade*, alinhada com a nossa *crença de capacidade*, naturalmente passamos a construir a chamada *crença de merecimento*. É certo que a base do nosso nível de merecimento foi programada ainda na infância, de acordo com as experiências e o tratamento recebidos de nossos pais e mães – ou pais substitutos –, assim como ocorre com a *crença de identidade* e a *crença de capacidade*. No entanto, isso não é um limitador, como logo veremos.

Para você anotar – e não esquecer:

- ▶ **Crença** é toda programação mental adquirida como aprendizado durante a vida – tudo aquilo que vimos, ouvimos e sentimos repetidas vezes ou sob forte impacto emocional – e que determina os comportamentos, as atitudes, os resultados, as conquistas e a qualidade de nossas vidas.
- ▶ **Valores** são tudo aquilo a que damos importância. São o que nos faz levantar todas as manhãs e fazer o que fazemos. Trata-se de nossas paixões, nossas preferências na vida. Enfim, são os PORQUÊS que guiam nossas escolhas.

O terceiro nível é o ter: a crença de merecimento ocupa o topo da pirâmide das crenças que formam o indivíduo.

> "Os *valores* são chamas alimentadas pelas nossas *crenças*. Quando as *crenças* mudam, a chama pode aumentar ou diminuir."
>
> *Deibson Silva*

A TEORIA DOS VALORES DE SPRANGER

Agora vamos iluminar o nosso caminho com a teoria do professor, filósofo e psicólogo alemão Eduard Spranger. Em 1914, ele escreveu uma obra revolucionária intitulada Types of Men (Tipos de Pessoas). O trabalho mapeava os valores dos seres humanos, fundamentado em artigos, estudos e diversas pesquisas. Spranger identificou seis tipos distintos de valores.

Para ele, os valores de uma pessoa se originam a partir de uma necessidade específica, gerando nela uma espécie de *consciência motivada*. É algo que essa pessoa identifica de modo claro e que é capaz de impulsioná-la em certa direção ou para determinado objetivo. É algo presente em todos os seres humanos, como uma espécie de busca, de *querer*, um tipo de estímulo silencioso que nos põe em marcha. Por exemplo, experimente se perguntar:

- ▶ O que faz você se mover, dirigir, se orientar todos os dias – na vida, no trabalho, em qualquer âmbito social ou familiar? – O que você está buscando?
- ▶ Quais são os seus parâmetros, suas referências – os propósitos capazes de fazer com que você decida ou escolha certo caminho (ou realize uma ação) no lugar de outro?

Os seus propósitos e as direções que você escolhe tomar na vida são reflexos diretos tanto de suas crenças quanto de seus valores. Nesse sentido, os valores de um indivíduo sintetizam a forma como ele se interessa e se relaciona com o mundo e com as pessoas.

De acordo com Spranger, todos nós temos seis valores distintos, os quais são universais e se distribuem em diferentes intensidades em cada um de nós. São eles:

- Teórico.
- Econômico.
- Estético.
- Social.
- Político.
- Religioso.

Vamos ver cada um deles.

Valor Teórico

Pessoas que têm como referência em suas vidas o *valor teórico* se voltam para a descoberta da verdade, e usam sua habilidade cognitiva para compreender e sistematizar conhecimentos. O principal agente motivador desse valor se associa à busca do conhecimento, da certeza e da verdade das coisas. Quase sempre culmina no crescimento intelectual de pessoas dotadas desse valor.

Um nível significativo desse valor pode levar uma pessoa a adotar uma atitude racional em relação ao ambiente, vendo e analisando as coisas de maneira lógica e crítica. Nesses casos, há uma busca incessante, em relação a praticamente tudo, para que fatos e ações sejam identificados, de maneira racional, em termos de causa e efeito. Pessoas que se orientam por esse valor tendem a ressaltar o conhecimento como um fim em si mesmo. Interessam-se pela teoria por trás das coisas, por suas causas subjetivas, e são apaixonadas por adquirir e sistematizar novos saberes.

Aquilo que muitos rotulam como "informação inútil" é para os teóricos algo absolutamente essencial e agradável. Pessoas assim costumam ser autodidatas, aprendem com facilidade e, muitas vezes, chegam a inventar o próprio método para aprender.

Características

- Têm como princípio a razão (quase sempre num sentido investigativo).

- ▶ Buscam vivências voltadas para o aprendizado.
- ▶ São objetivos e impessoais, na maior parte das vezes.
- ▶ Têm sede por explicações e soluções desafiadoras.
- ▶ Forte curiosidade intelectual e mente investigativa.
- ▶ **Palavra-chave do** *Teórico*: Conhecimento.
- ▶ **Motivador:** descoberta do novo e crescimento intelectual. Busca por conhecimentos. Aprendizado contínuo.
- ▶ **Risco:** pode colocar a busca por conhecimento à frente de assuntos práticos, como dinheiro, família, casa, relacionamentos etc.

Exemplo

Muitas pessoas revelam seus valores mais intensos a partir do que fazem em seu tempo livre. Por exemplo, uma pessoa que tem o valor teórico de maneira intensa geralmente faz cursos dos mais diversos temas, apenas por *hobby*; estuda e memoriza informações pelo mero prazer do conhecimento (nomes de inventores e o que os motivou a construir suas invenções); sente prazer em assistir a documentários; busca conversar com pessoas que tenham algo a ensiná-la e frequentar ambientes que estimulem o aprendizado. Se ela precisa decidir entre duas opções – por exemplo, duas propostas de emprego ou duas cidades para viajar nas férias –, vai escolher aquela que lhe oferece mais aprendizados.

Um filme: *O jogo da imitação* (2014) – Conta a história de Alan Turing. Durante a Segunda Guerra Mundial, Turing liderou um grupo da inteligência britânica responsável por decifrar mensagens criptografadas dos nazistas. Turing é um excelente exemplo de personagem com o valor teórico alto. Em diversos momentos do filme, é possível notar como sua busca por decifrar os códigos está à frente de qualquer outra prioridade, muitas vezes deixando de lado as relações interpessoais.

A pergunta que norteia suas ações é: *como eu posso aprender mais?*

Personagem com Valor Teórico alto

Alan Turing (1912-1954). Matemático e cientista da computação, esse inglês possuía uma habilidade excepcional para desenvolver teorias e colocá-las em prática, e suas descobertas deram início ao que hoje conhecemos como computação e inteligência artificial. Sua "Máquina de Turing", utilizada durante a Segunda Guerra Mundial, foi o primeiro computador da história, que realizava cálculos impossíveis de serem feitos pelo cérebro humano, dando início à lógica da programação. Alan Turing sempre se mantinha empenhado a resolver problemas matemáticos complexos, desafiando-se a solucionar incógnitas e a decifrar o que era considerado indecifrável.

Valor Econômico

Pessoas que se identificam com o *valor econômico* esmeram-se na obtenção de retorno sobre o investimento de tempo e de recursos empregados em determinada empreitada. Quase sempre têm em vista o acúmulo de bens ou capital. O principal agente motivador desse valor é a boa *utilidade* dos recursos materiais. São pessoas que sempre pensam na relação custo-benefício de suas ações, buscando vantagens e resultados palpáveis – tanto do ponto de vista financeiro como do material. Por isso são tidas como muito boas no gerenciamento de recursos, pois estão sempre calculando formas de fazer mais com menos, e evitam ao máximo desperdícios.

Um nível significativo desse valor revela um interesse particular por aquilo que apresente utilidade prática, o que inclui de maneira destacada aspectos relacionados ao mundo dos negócios: venda com altos lucros, bons investimentos, redução de despesas, melhoria de tempo e aproveitamento de recursos etc. Apreciam o consumo de bens e a acumulação de riquezas.

Características

- Têm como princípio a maximização de recursos.
- São práticos, eficientes e pragmáticos.
- Estão sempre buscando uma boa relação custo-benefício.
- São muito sensíveis a desperdícios.
- Insaciáveis na busca de bens materiais.
- **Palavra-chave do *Econômico*:** Utilidade (de tempo e de recursos).
- **Motivador:** gostam de se sentir úteis na busca de maior lucratividade com economia de recursos e no fechamento de bons negócios. Empenham-se no uso eficiente de recursos.
- **Riscos:** a busca incessante por retorno material pode torná-los pessoas que trabalham sem limites, às vezes até sem se dar conta do desgaste e do enfraquecimento dessa condição.

Exemplo

A pessoa de valor econômico alto está sempre fazendo algum tipo de cálculo: "qual trajeto me faria perder menos tempo no trânsito?"; ou "onde eu consigo um produto dessa mesma qualidade por um preço mais baixo?". Se ela tem uma viagem programada, certamente vai calcular o número exato de peças de roupa de que vai precisar (nem mais, nem menos) e fazer o possível para que tudo caiba em uma mala que não precise ser despachada, de modo que possa economizar o dinheiro da taxa referente ao despacho da bagagem e também o tempo que perderia esperando pela mala. Geralmente esse indivíduo não se importa em fazer hora extra ou trabalhar nos finais de semana, desde que perceba que tal esforço (investimento) vai oferecer um retorno palpável. Desperdícios, de tempo ou dinheiro, são capazes de tirá-lo do sério.

Um filme: *Amor sem escalas* (2009) – Conta a história de um executivo em viagem pelos Estados Unidos cuja missão é demitir pessoas. Ele tem agora uma nova colega de trabalho, que o acompanhará nessas missões, e a quem ele precisa mostrar a importância do contato pessoal nesse tipo de atividade. O personagem principal, interpretado por George Clooney, é o tipo de pessoa que faz tudo em razão do valor econômico. Há uma cena em particular em que ele mostra a sua colega (Anna Kendrick) como fazer uma mala levando apenas coisas essenciais. Com isso eles ganham tempo nos traslados que fazem nos aeroportos, e economia com as taxas que deixarão de pagar por carregar bagagens mais leves.

A pergunta que norteia suas ações é: *quanto eu posso ganhar ou economizar com isso?*

Personagem com Valor Econômico alto

Jorge Paulo Lemann é homem mais rico do Brasil e o 22º mais rico do mundo, segundo a edição de 2017 do ranking da *Forbes*. O empresário está à frente da holding Anheuser-Busch InBev, que controla a Ambev, a Kraft Heins e o Burger King, e é conhecido mundialmente por maximizar recursos, sempre considerando a relação custo x benefício de seus negócios. Lemann também já atuou em negócios focados na melhoria da gestão financeira e operacional de empresas com dificuldades para, depois de sanados os problemas, revendê-las obtendo altos lucros.

A pessoa de valor econômico alto está sempre fazendo algum tipo de cálculo.

Valor Estético

Pessoas identificadas com um *valor estético* apreciam o belo e são influenciadas por formas e proporções harmônicas, bem como por experiências subjetivas. O principal motivador desse valor é a *harmonia* – aspecto que se verifica na busca por qualidade de vida, além da contemplação da beleza das formas e da natureza. São pessoas que demonstram alto interesse pelas artes e outras manifestações estéticas, embora não seja determinante que o indivíduo dotado desse valor possua dons artísticos. De qualquer modo, gostam de expressar sua criatividade, valorizam as experiências subjetivas e encaram cada momento da vida de maneira singular, às vezes até de modo poético. Ter um vida equilibrada e harmônica é uma condição muito importante para pessoas assim.

Características

- Buscam aproveitar todos os momentos – "vivendo a vida".
- Apreciam a beleza, a subjetividade e a criatividade.
- Valorizam cada experiência como única.
- Buscam sempre a harmonia e o bem-estar.
- A autorrealização é uma condição inegociável: precisam descobrir quem são verdadeiramente.
- **Palavra-chave do *Estético*:** harmonia.
- **Motivador:** ter qualidade de vida, apreciar a arte em suas mais diversas formas, vivenciar novas experiências, ter a possibilidade de harmonizar ambientes e exercer sua criatividade.
- **Riscos:** podem ter alguma dificuldade para lidar com questões práticas ou com a realidade do dia a dia.

Exemplo

Os estéticos, de modo geral, sonham em morar no campo ou na praia ao se aposentar. Querem a qualquer custo fugir das cidades grandes. Se são convocados para uma viagem de trabalho, procuram se informar sobre o que há de cultural e artístico para conhecer na região. Valorizam belas paisagens e a natureza.

Um filme: *Gênio indomável* (1998) – Depois de algumas passagens pela polícia, um jovem rebelde (Matt Damon), que trabalha como servente na universidade de Boston, se revela um gênio em matemática. Devido à dificuldade nas relações sociais, ele precisa fazer terapia e ter aulas de matemática, mas nada parece funcionar, pois ele debocha de tudo e de todos os analistas.

Apenas um deles, Sean (papel de Robin Williams), consegue estabelecer um canal de comunicação com o rapaz. Numa comovente cena – que ocorre num parque –, os dois conversam, e Sean passa ao jovem uma poderosa mensagem sobre a vida, falando de humildade e amor, e mostrando por que nada substitui a experiência de ter vivido intensamente cada momento de uma existência. O terapeuta mostra como é importante vivenciar, sentir e valorizar as experiências na prática em vez de apenas ter conhecimento a respeito delas.

A pergunta que norteia suas ações é: *quais experiências eu terei com isso?*

Personagem com Valor Estético alto

Desde criança, Leonardo da Vinci (1452-1519) já possuía habilidades artísticas notáveis e gostava de observar o voo dos pássaros e insetos, era admirador das formas, sons e cores da natureza e paisagens, que, por sua vez, dariam base à sua arte. Da Vinci era um aficionado pela perfeição e se recusava a entregar um quadro enquanto não estivesse satisfeito com ele, por isso algumas de suas obras estão inacabadas. Uma de suas pinturas mais famosas, Mona Lisa, era um trabalho em constante progresso, já que ele buscava a perfeição. A pintura nunca foi entregue ao cliente; Da Vinci ficou com ela até o fim de sua vida.

Os estéticos, de modo geral, sonham em morar no campo ou na praia ao se aposentar.

Valor Social

Pessoas que se orientam por um *valor social* têm muita disposição para investir tempo e recursos na construção de um mundo melhor para todos. O principal motivador deste valor é o *altruísmo* e a possibilidade de contribuir em causas sociais. São pessoas com grande consideração pelo próximo, às vezes colocando-o na frente dos próprios interesses. Geralmente são generosas e possuem elevada empatia. Um nível significativo desse valor revela que a pessoa acredita que a forma mais adequada de conduzir relacionamentos é ajudando o outro de alguma forma. Sentem grande prazer em orientar e desenvolver outras pessoas, e consideram muito importante contribuir com a sociedade, com vistas, de modo geral, a melhorar a vida do próximo.

Características

- São altruístas e generosos.
- Têm o bem comum como prioridade, acima de seus interesses pessoais.
- Acreditam no potencial das pessoas e dedicam-se a desenvolvê-las.
- Empregam muita energia para amenizar a dor alheia.
- Podem viver em razão do (*ou para o*) bem de outras pessoas.
- **Palavra-chave do *Social*:** Altruísmo.
- **Motivador:** contribuir para causas sociais e fazer a diferença (positiva) na vida dos outros. O *social* prioriza sempre o servir e ajudar outra pessoa.
- **Riscos:** por dedicarem-se demais aos outros ou a uma causa, às vezes perdem de vista os seus próprios limites e acabam se prejudicando – deixando assim de ter condições de fazer o que mais gostam, que é justamente ajudar os outros.

Exemplo

Os Sociais são pessoas que se doam pelos outros, muitas vezes tomando as dores alheias como se fossem suas. Madre Teresa de Calcutá é um exemplo de vida dedicada aos mais pobres e sofridos. Também são modelos de entrega e desprendimento, em prol de causas nobres e humanitárias, por exemplo, aqueles que fazem parte de campanhas solidárias, como a do agasalho, ou a de combate à fome e à pobreza, doando seu tempo e às vezes até recursos próprios para proporcionar ao outro uma vida mais digna.

Um filme: *Patch Adams: o amor é contagioso* (1998) – Baseado numa história real, o filme conta um pouco da vida de Patch Adams (vivido por Robin Williams), que percebe que a atenção, o humor e o carinho podem ajudar a melhorar a vida de pessoas hospitalizadas. No entanto, suas ideias encontram franca resistência entre os que defendem a medicina tradicional. Numa passagem, o personagem faz um extraordinário discurso num programa, em que revela as bases de suas crenças, e como suas práticas e a entrega em prol do outro podem ajudar a transformar a vida de milhares de pacientes.

A pergunta que norteia suas ações é: *como eu posso ajudar mais pessoas?*

Personagem com Valor Social alto

Hunter Dohert. Conhecido como Patch Adams, o médico americano ficou mundialmente conhecido por sua metodologia diferenciada de tratamento, que considera não apenas o quadro clínico do paciente, mas também o cuidado humanizado focado no amor e na alegria, que, para ele, é uma excelente forma de prevenir e tratar muitas doenças. Assim que decidiu ser médico, ele já tinha como objetivo ajudar pessoas com o uso da medicina e abdicou de sua vida para isso, tanto que, na década de 1970, fundou o Instituto Gesundheit, uma organização de assistência médica sem fins lucrativos que atua em comunidades carentes ao redor do mundo e trabalha a favor da qualidade de vida e saúde das pessoas.

> *Os Sociais são pessoas que se doam pelos outros, muitas vezes tomando as dores alheias como se fossem suas.*

Valor Político

Indivíduos identificados com um *valor político* destacam-se por buscar (e quase sempre conseguir) o máximo de poder e *status* pessoal/social. O principal agente motivador deste valor é o *poder* –

não necessariamente o poder público ou político. São pessoas que visam posições de comando, destaque e liderança. Geralmente são ambiciosas, sentem-se atraídas por projetos grandiosos e têm clareza de onde querem chegar – em geral, são mesmo visionárias. Valorizam também a ascensão profissional e as condições de nível social. Gostam de ter o controle do próprio destino e do destino dos outros. Sentem prazer em liderar, comandar e dirigir pessoas. É fato que grandes líderes, com certa frequência, se orientam de maneira destacada por esse valor.

Características

- ▶ São ambiciosos e têm claros os objetivos que querem alcançar.
- ▶ Buscam incessantemente o sucesso.
- ▶ Gostam de liderar e guiar pessoas rumo aos seus objetivos.
- ▶ Valorizam símbolos de poder e vitória.
- ▶ Possuem objetivos grandiosos e desafiadores.
- ▶ **Palavra-chave do *Político*:** Poder
- ▶ **Motivador:** liderar pessoas, obter reconhecimento e oportunidades de crescimento (status).
- ▶ **Riscos:** podem colocar o poder à frente das pessoas. Às vezes se sentem ameaçados quando seus pares recebem destaques ou são reconhecidos, e eles não. Nesse sentido, costumam ser agressivos em suas ações.

Exemplo

Buscam influenciar e comandar grandes grupos. Isso pode acontecer no campo político, quando se lançam candidatos a algum cargo eletivo, ou quando buscam grandes objetivos, criando, por exemplo, estratégias para levar suas empresas ao sucesso. Como líderes, querem estar acima de todos na hierarquia. São, acima de tudo, pessoas de ambição, que sabem aonde querem chegar e que vão em busca do que desejam. Nesse sentido, farão o possível para serem reconhecidos e lembradas.

Um filme: *Troia* (2004) – Conta a história da batalha entre os reinos antigos de Troia e Esparta. Durante uma visita ao rei de Esparta, Menelau, o príncipe troiano Paris se apaixona pela esposa do rei, Helena, e a leva consigo para Troia. O irmão de Menelau, o rei Agamenon, que já havia derrotado todos os exércitos na Grécia, encontra o pretexto que faltava para declarar guerra contra Troia, o único reino que o impede de controlar o Mar Egeu. Há uma cena em que o guerreiro Aquiles (personagem de Brad Pitt), ao conversar com um garoto, revela toda a sua motivação para a guerra: ser reconhecido e lembrado por toda a eternidade.

A pergunta que norteia suas ações é: *como eu posso crescer mais e numa velocidade maior?*

Personagem com Valor Político alto

Fundador da Apple, **Steve Jobs** (1955-2011) sempre esteve determinado a construir um legado e ser reconhecido. Prova disso é que sempre esteve à frente de todos os projetos de sua empresa e não aceitava menos do que a perfeição, na concepção dele. Um episódio que retrata bem isso aconteceu na reta final do desenvolvimento do iPhone, quando Jobs resolveu mudar radicalmente o desenho do smartphone e disse para sua equipe: "Vocês se mataram durante nove meses para finalizar esse design, mas nós vamos mudá-lo". Esse momento foi um dos que mais deram orgulho ao empresário. Demitido em 1985, Steve Jobs não aceitava estar longe do comando da companhia que ajudou a construir, tanto que pouco tempo depois fundou as empresas NeXT e Pixar com o objetivo de derrubar a Apple nos negócios. Contudo, em 1996 a Apple comprou a NeXT e Jobs retornou à empresa como assessor informal do então CEO. No ano seguinte, ele foi anunciado como CEO, sendo o responsável pelo desenvolvimento dos maiores sucessos da marca: iMac, iPhone, iPod e iPad.

São, acima de tudo, pessoas de ambição, que sabem aonde querem chegar e que vão em busca do que desejam.

Valor Religioso

Pessoas que se pautam por um *valor religioso* se orientam pela busca quase incessante de um sentido para a vida, por meio de convicções que as fazem agir de modo plenamente alinhado ao sistema de vida em que acreditam. O principal motivador desse valor é a *tradição* e a busca por uma vida dentro de suas convicções. São pessoas que vivenciam fortemente as regras de um sistema de vida (religião, filosofia, grupos sociais, estilo de vida e saúde etc.), ou qualquer outra atividade que dê importância primordial a regras de conduta, e que as ajude a criar um juízo sobre o que é bom ou ruim, certo ou errado. Em geral, tais princípios orientam não apenas o estilo de vida dessas pessoas, mas também o seu núcleo familiar. Um nível significativo desse valor leva o indivíduo a ter fortes convicções, geralmente dentro de tradições fechadas. Muitos, porém, são adeptos de sistemas de vida considerados contemporâneos (como os que adotam a dieta vegana, e atividades como o CrossFit, por exemplo), e apresentam esse valor de maneira significativa. É comum mostrarem certo ativismo, buscando convencer os outros a seguir seus ideais.

Características

- Valorizam princípios morais e éticos.
- Buscam convencer os outros das suas convicções.
- Agem conforme seus ideais e sistema de vida.
- Têm uma visão dualista do mundo, com grande distinção entre o certo e o errado.
- **Palavra-chave do *Religioso*:** Convicção.
- **Motivador:** viver de acordo com seu sistema de vida; ter uma causa ou um propósito a seguir.
- **Riscos:** podem ser muito críticos em relação a outros pontos de vista; em casos extremos, podem colocar seus preceitos acima de tudo, inclusive da lei.

Exemplo

Pessoas que se motivam por princípios e sistemas filosóficos ou religiosos, seguindo-os à risca. Alguém que paute sua vida por regras rígidas de saúde e bem-estar – adotando dietas específicas e fazendo diariamente exercícios físicos, por exemplo – provavelmente tem por orientação um valor religioso. Para pessoas assim, é inconcebível viver fora desses parâmetros. Eles podem ser religiosos – no sentido místico –, mas também ativistas ecológicos ou naturalistas etc.

Um filme: *Deus não está morto* (2014) – Quando o jovem Josh Wheaton entra para a universidade, conhece um arrogante professor de filosofia que não acredita em Deus. O aluno reafirma sua fé, e é desafiado pelo professor a provar a existência de Deus. Há uma cena em que aluno e professor debatem a questão. É interessante observar que tanto o jovem, que acredita em Deus, quanto o professor, que não acredita, defendem suas teses com forte convicção e empenho em convencer, mostrando como ambos veem o mundo e as pessoas por meio de suas crenças.

A pergunta que norteia suas ações é: *isso está de acordo com meus ideais?*

Observação: o *valor religioso* tem uma função reguladora em relação a todos os outros valores, mesmo quando não é o mais significativo. É ele que determina como a pessoa viverá os outros valores. Quanto mais forte o valor religioso, mais apegado às suas certezas e respostas a pessoa será. Indivíduos assim não costumam abrir mão de viver em congruência com aquilo em que acreditam. Quanto menor for a intensidade do valor religioso, maior a flexibilidade e a abertura a outros pontos de vista.

Alguém que paute sua vida por regras rígidas de saúde e bem-estar – adotando dietas específicas e fazendo diariamente exercícios físicos, por exemplo – provavelmente tem por orientação um valor religioso.

Personagem com Valor Religioso alto

O pastor protestante e ativista político Martin Luther King (1929-1968) baseava todo o seu ativismo em suas convicções cristãs e na não violência. Com sua oratória impecável, buscava impor seus ideais e convicções. Em seu famoso discurso "I have a dream", essas características são bem evidenciadas, como no trecho: "(...) Eu tenho um sonho de que um dia essa nação levantar-se-á e viverá o verdadeiro significado da sua crença: 'Consideramos essas verdades como autoevidentes de que todos os homens são criados iguais.' (...) Eu tenho um sonho de que um dia mesmo o estado do Mississippi, um estado desértico sufocado pelo calor da injustiça, e sufocado pelo calor da opressão, será transformado num oásis de liberdade e justiça".

Dos seis valores apresentados, elenque dois com os quais você mais se identificou.

_____

_____

Pensando nos seus sonhos e objetivos, elenque dois valores que você precisa desenvolver mais. Quais progressos você obterá se desenvolvê-los melhor?

_____

_____

Quais conflitos são gerados na sua vida hoje pela falta da compreensão dos valores que outras pessoas possuem? O que você pode fazer para sanar esses conflitos?

_____

_____

UM EXEMPLO GERAL DOS VALORES EM NOSSAS ESCOLHAS

É importante frisar a importância dos valores como condutores das ações e decisões das pessoas. Nesse sentido, não são os seus valores que determinam suas escolhas, mas suas escolhas é que são fortemente influenciadas por seus valores. Vamos exemplificar. Imagine um indivíduo que escolheu ser médico (o mesmo exemplo serviria se ele escolhesse ser engenheiro, advogado, administrador ou exercer qualquer outra atividade). Pois bem, ele escolheu ser médico, e pode perfeitamente encaminhar sua carreira na Medicina com base em cada uma das seis categorias de valores. Vejamos:

- ▶ *Valor religioso* – o médico que escolhe essa carreira em razão de uma missão ou por uma filosofia de vida. Nesse caso, é bom ressaltar, o termo *religioso* não tem nada a ver com religião, num sentido místico, ou de culto. Mantivemos esse termo no sentido dado por Spranger, em prol de uma padronização conceitual. Contudo, o sentido tem a ver com filosofia de vida, com uma convicção, independentemente de ser ou não religiosa.
- ▶ *Valor social* – existem também pessoas que podem escolher a Medicina porque querem ajudar o máximo de pessoas possível. Essa escolha se pauta por um *valor social*, e implica uma enorme disposição para servir e ajudar o próximo – quanto mais pessoas esse médico puder ajudar, mais realizado ele se sentirá. A escolha, nesse sentido, é quase um sacerdócio.
- ▶ *Valor teórico* – também existem aqueles que escolhem a Medicina motivados por algum *valor teórico*. São pessoas que querem imergir no aprendizado, querem conhecimento, anseiam por aprender e ensinar, são indivíduos que valorizam muito essa possibilidade. É comum, nesses casos, destacarem-se em carreiras acadêmicas, em centros de pesquisa, laboratórios etc.
- ▶ *Valor estético* – há indivíduos que querem ser médicos por causa de um *valor estético*, e encontram na Medicina (e poderiam encontrar em qualquer outra área) razões para

realizar essa aspiração. São aqueles que acreditam que essa área pode proporcionar uma sensação de bem-estar aos pacientes – por meio do trabalho desses indivíduos. Assim, valorizam a forma e a beleza da anatomia e do funcionamento do corpo humano.

▶ *Valor econômico* – esses profissionais trabalham o custo-benefício da atividade, valorizam a utilidade e a praticidade de suas ações, e escolhem a Medicina inclusive porque veem possibilidades de acumular recursos. Pessoas dotadas desse valor podem ter grande capacidade empreendedora. Apresentam muita disposição para alcançar seus objetivos, às vezes até como empresários nesse ramo.

▶ *Valor político* – por fim, há o *valor político*, presente sobretudo em pessoas que escolhem a Medicina por uma questão de *status* (social, acadêmico, familiar etc.). Essas pessoas valorizam estar no comando de suas relações e no topo de grandes projetos, onde podem liderar com grande desenvoltura. E a Medicina, como outras atividades, também lhes permite exercer esse valor, seja como chefe ou diretor de um hospital, ou no comando de uma grande área médica – ou até na coordenação de um projeto de pesquisa.

A HIERARQUIA DE VALORES

Como você já sabe, conhecer os valores de uma pessoa nos ajuda a compreender algumas das razões de suas atitudes. Ao avaliar os conhecimentos e as experiências de um indivíduo, podemos identificar o *que* ele consegue fazer. Já a análise do seu comportamento nos revela *como* uma pessoa atua e é percebida em seu ambiente. No CIS Assessment, entendemos que todos nós temos os seis valores, mas em diferentes intensidades, e é isso que irá direcionar nossas escolhas, ações e a forma de enxergar a vida. Cada pessoa desenvolve uma hierarquia para os seus valores, isto é, uma ordem: do que é mais importante para o que é menos importante. Nesse sentido, a análise da intensidade desses valores permite esclarecer e ampliar a consciência da pessoa sobre suas reais motivações, reforçando a contribuição de cada valor em seu comportamento. No quadro a seguir, entenderemos o efeito das crenças e dos valores em nosso comportamento. Nossas ações passam pelas seguintes etapas:

1. Vivências/ Experiências →	2. Crenças (identidade/ capacidade/ merecimento) →	3. Valores (motivadores) →	4. Comportamentos (atitudes)

O quadro mostra que o conjunto de nossas *vivências* e *experiências* forma as nossas *crenças*, as quais moldam nossos *valores*, que, por sua vez, manifestam-se em nossos *comportamentos* e *atitudes*. Os valores mais significativos nos motivam e direcionam nossas ações. É o que explica o fato de nos sentirmos bem quando realizamos atividades que são condizentes com nossos principais valores.

Assim como o perfil adequado é indispensável para o sucesso de uma contratação, a adequação do valor também não pode ser negligenciada.

Um laboratório farmacêutico precisava contratar um profissional voltado para promoção e vendas de remédios. A empresa precisava de alguém comunicativo, persuasivo, mas também detalhista por conta das especificidades das fórmulas dos remédios, um tipo de venda mais técnica. A companhia então contratou um profissional com perfil influente (I) e conforme (C). No início, ele até obteve um bom desempenho. Porém, como o cargo exigia também bastante dedicação no estudo das fórmulas e composições dos medicamentos, assim como dedicação constante no aprendizado das inovações tecnológicas do laboratório, por mais que a empresa tivesse encontrado a pessoa com o perfil DISC mais apropriado, esse indivíduo não permaneceu muito tempo no cargo, pois seu Valor Teórico não era muito intenso.

A pessoa ideal para esse cargo deveria um Valor Teórico significativo devido à necessidade constante de estudo, mas também o Valor Econômico, tendo em vista que um consultor de vendas precisa estar sempre batendo metas.

A arquitetura de cargos e a engenharia de funções permitem criar um mapeamento de cargos e funções nas empresas, temas que aprofundaremos fortemente no Capítulo 5.

Outro exemplo da aplicação dos valores no contexto organizacional é relacionado à premiação de colaboradores. Como no caso do dono de uma empresa que premiou os seus cinco melhores gerentes nacionais com tudo pago em um cruzeiro de cinco dias. Ao final, em vez de os gerentes se sentirem gratos e ficarem satisfeitos, eles retornaram chateados, achando que estavam perdendo tempo e deixando de produzir para a empresa e ficando distantes de suas metas pessoais. Muito provavelmente, esses gerentes tinham um alto Valor Econômico, isto é, possivelmente prefeririam um bônus em dinheiro para usar como quisessem. A viagem seria a premiação ideal para pessoas com alto Valor Estético, que apreciam a experiência de estar no em alto-mar admirando a beleza da natureza. Nem sempre o que julgamos ser o melhor para nós é a mesma coisa que o outro julga ser o melhor para ele. Sabendo disso, responda às perguntas a seguir:

Como você tem premiado os seus funcionários? De acordo com o seu próprio valor pessoal ou de acordo com o valor de cada um deles?

_____
_____

Quais decisões você toma para reconhecer de maneira mais precisa os seus colaboradores?

_____
_____

Note que o conflito de valores pode estar presente em outras áreas da vida. Quantos casais vivem em conflito porque valorizam coisas diferentes ou desconhecem as preferências do seu companheiro(a)? Quantos pais não entendem as escolhas profissionais dos filhos, quando o filho, por exemplo, opta por uma carreira diferente da profissão que o pai valoriza? Lembre-se da última pessoa importante em sua vida que você presenteou: o presente representou algo importante para ela ou na verdade refletiu os valores que você mesmo possui? Talvez você seja uma pessoa com alto Valor Teórico e, por isso, presenteie a todos com livros sem pensar que, por exemplo, aquele amigo na verdade gostaria mais de sair para jantar em vez de ganhar o livro, que será apenas mais um na prateleira.

Note que a Teoria de Valores é fundamental para a compreensão do comportamento humano, pois ela aborda nossos principais interesses e motivações, assim como as razões e os porquês de nossas decisões mais importantes. A partir dela, podemos aumentar ainda mais nossas conquistas em todas as áreas de nossas vidas.

ENTENDA COMO OS VALORES SÃO MUTÁVEIS

Assim como é possível reprogramar nossas crenças, os nossos valores também podem ser modificados. É provável, por exemplo que o que você valoriza hoje não seja o mesmo que já valorizou há cinco ou dez anos. Se algum tempo atrás você ainda não tinha filhos, talvez o valor estético, ligado ao bem-estar e à harmonia, não fosse significativo para você antes, mas, hoje, pode se tratar de algo relevante na sua vida. Ou é possível ainda que você seja dono de uma pequena empresa e, com o tempo, viu seu negócio dobrar de tamanho e passou a valorizar muito mais o status, o reconhecimento e a posição de comando sobre outras pessoas com a prosperidade que sua companhia gerou. Dessa forma, o valor político, que antes importava muito menos, hoje é essencial para você, pois sua busca para que a empresa cresça ainda mais é o que, talvez, mais lhe impulsione.

Esses exemplos mostram que nossos valores são sazonais, ou seja, dependem do momento em que vivemos, dos nossos objetivos, dos resultados, enfim, que obtemos. Para tornar mais clara essa compreensão, eu, Deibson Silva, darei um exemplo relacionado a minha vida. Desde que nasci, fui criado pela minha amada avó Alexandrina. Quando eu brincava na rua, ela sempre dizia: "menino, vem pra casa estudar". Ao longo dos anos, essa frase foi repetida inúmeras vezes por ela. Ao receber esse estímulo repetidamente durante a infância, eu, que gostava muito de brincar na rua com meus amigos, acabei associando a ação de estudar e buscar conhecimento a uma forma de punição. E sempre me irritava e/ou entristecia quando precisava estudar em vez de brincar com meus amigos. Em consequência, após a morte dela – apenas três meses após eu concluir o ensino médio –, passei a não dar mais valor à busca por novos conhecimentos. A ponto de, inclusive, não gostar de me aproximar ou de conversar com pessoas que, a meu ver, eram intelectuais.

Já adulto, tornei-me empresário, mas não obtive êxito na minha empresa e tive uma grande derrocada. Vivi uma situação muito delicada e desafiadora, tendo de voltar para a casa da minha mãe levando comigo minha esposa e filhos.

Foi nesse momento tão difícil profissional e emocionalmente que conheci a Febracis e a metodologia do Coaching Integral Sistêmico, desenvolvida por Paulo Vieira, hoje – eu jamais imaginaria! – meu grande amigo e parceiro de pesquisas. Nessa jornada do conhecimento, entendi que o que eu havia perdido (ou ainda não havia conquistado) era exatamente por causa de tudo aquilo que eu ainda não sabia. Percebi que precisava buscar conhecimento – e muito! – se quisesse me reerguer. Costumo dizer que uma chave virou na minha cabeça e então passei a estudar, pesquisar e me aprofundar no entendimento do comportamento humano, pois, para mim, minha grande falha era justamente não entender de pessoas. A falta desse saber, juntamente com a ausência do autoconhecimento, ou seja, não entender quais eram minhas limitações e supervalorizar minhas potencialidades, ocasionaram minha derrocada.

Após minha imersão na Febracis, decidi entrar na faculdade – algo que até os 25 anos de idade ainda não valorizava por conta das minhas crenças –, fiz pós-graduação e continuei sempre estudando. E nessa jornada desenvolvi grande parte do que é o CIS Assessment hoje.

Se antes eu era indiferente ao meu valor teórico, o grande problema profissional que tive com a quebra da empresa acabou promovendo a reprogramação de crenças necessária para que hoje o Valor Teórico seja o mais significativo para mim.

Foi querendo o meu melhor que minha querida avó sempre desejou que o Valor Teórico fosse importante em minha vida assim como era na dela. Sempre com muito carinho e amor, ela buscou inculcar em mim a crença de que seria melhor para o meu futuro que eu estudasse em vez de brincar. Foi necessário muito aprendizado para que, depois de muitos anos, eu a entendesse. Hoje, compreendendo melhor todo o cenário, admiro ainda mais a educação que recebi da minha avó Alexandrina, que, desde sempre, quis fazer de mim uma pessoa que valoriza o saber. Não fosse a forma como ela me educou, hoje eu não teria toda a base intelectual que tenho.

Diante disso, podemos perceber que nossos valores andam de mãos dadas com as nossas crenças e que não precisamos estar presos, de maneira alguma, a quem vínhamos sendo até então, pois mudanças podem sim acontecer rápido. Aprendi isso no Método CIS com meu amigo Paulo Vieira. O primeiro passo para as mudanças acontecerem é fazer exatamente o que você, leitor, está fazendo aqui: buscando se tornar alguém ainda melhor através do autoconhecimento.

> **SAIBA MAIS**
>
> **Eduard Spranger, autor da Teoria de Valores**
>
> Sempre interessado em analisar os efeitos da história e da cultura na ética e nas ações humanas, Eduard Spranger (1882-1963), filósofo, pedagogo e psicólogo alemão, escreveu o livro *Tipos de Pessoas*, que traz a Teoria de Valores, um de seus estudos mais disseminados em todo o mundo. Seu pensamento abrange a filosofia clássica, o idealismo e o empirismo, este último disseminado por Wilhelm Christian Ludwig Dilthey, filósofo alemão que foi seu professor na Universidade de Berlim.
>
> O trabalho de Spranger em torno dos valores que motivam os seres humanos é um novo argumento diante da visão científica da época em torno dos modelos até então oferecidos pela psicologia. O pesquisador tentou explicar os fenômenos psíquicos que não podem ser explicados pela filosofia e contribuiu, ainda, com a área pedagógica. Defendia que a escola é um ambiente onde alunos e professores coexistem dentro de um espírito pedagógico, e que o professor é responsável não apenas pela educação dos alunos, mas também da comunidade. Por fim, considerava que o pensamento crítico deveria ser ensinado como uma virtude fundamental para o desenvolvimento humano.

5

O COMPORTAMENTO NAS ORGANIZAÇÕES

Como estimular e influenciar diferentes tipos de pessoas usando o conhecimento de perfil comportamental, identificando os próprios potenciais e criando oportunidades de desenvolvimento.

Conhecer e decifrar pessoas são etapas decisivas para ter alta performance e alcançar grandes resultados. Essa é a razão que torna tão importante a abordagem comportamental nas organizações. Afinal, tudo o que acontece numa empresa provém do comportamento das pessoas. E isso se reflete tanto em seu desempenho quanto em suas rotinas, processos e na própria motivação das equipes, determinando, inclusive, a qualidade e o tipo de conexão delas consigo mesmas e com seus colegas. O impacto nos resultados do negócio e da empresa é direto e profundo. Em face disso, se queremos atingir níveis de excelência profissional em uma organização, precisamos entender o que rege esses comportamentos. Assim como cada pessoa tem uma personalidade, as empresas também terão sua própria personalidade, e é isso que define como será sua cultura. A forma como você trata seus clientes, parceiros, fornecedores e a forma como seus funcionários se tratam entre si é fortemente determinada pela cultura da organização.

O pressuposto básico que você precisa assumir é que, se as pessoas são diferentes, vão responder de maneira distinta, mesmo quando as demandas forem as mesmas. Cada colaborador é único, tem talentos próprios, e está nas mãos do líder reconhecer as habilidades e competências dele. Isso implica pensar diferentes estratégias, espaços e até tarefas para cada grupo de indivíduos. E entender que, de modo geral, a pessoa certa, no lugar certo, terá um comportamento mais apropriado à sua função, com um desempenho mais eficaz, podendo alcançar mais e melhores resultados, tanto em sua própria performance quanto na liderança exercida sobre outras pessoas.

Para que isso aconteça, é preciso compreender o quanto aquilo que você faz é adequado ao seu nível de competência e motivação, considerando inclusive os resultados que vem obtendo. Num domingo à noite, ao vislumbrar a semana que tem pela frente, qual é o seu estado de ânimo? Pense em si mesmo, nos desafios que tem enfrentado, em face do que está entregando e produzindo. Você se sente motivado, disposto a começar a semana em alto nível, ou prefere mudar de assunto e esquecer o "pesadelo" que vai começar?

Esse é o ponto essencial: entender o próprio momento, perceber o quanto você tem sido capaz de superar os obstáculos e o quanto se sente motivado e disposto a enfrentá-los.

Agora olhe em volta e pense nas pessoas com as quais trabalha e compartilha metas, desafios e resultados.

Como você avalia as necessidades de sua empresa – ou da sua área/setor – em relação à eficácia dos seus colaboradores? Será que eles estão produzindo o máximo que podem, com a melhor qualidade possível – sem prejudicar o clima organizacional e sem se sentir sobrecarregados?

Para você refletir:

1) Será que sua empresa (ou área/setor) poderia alcançar melhores resultados se todo o potencial dos seus colaboradores fosse usado? Como você avalia esse aspecto hoje, em seu departamento?

_____
_____
_____

2) E você: o quanto seria mais eficaz e se sentiria mais satisfeito se usasse todo o seu potencial? Quais resultados você obteria?

_____
_____
_____

Cada colaborador é único, tem talentos próprios, e está nas mãos do líder reconhecer as habilidades e competências dele.

A chave para que isso aconteça de maneira efetiva já não é mais segredo nas organizações. Tanto você quanto os seus colaboradores precisam das melhores condições possíveis (ambientais, tecnológicas, técnicas e mentais) para que se sintam motivados a dar o melhor de si. Quanto mais efetiva for a comunicação e quanto mais espaço de troca e oportunidade de desenvolvimento você e sua empresa proporcionarem para que as pessoas exerçam suas atribuições da melhor maneira possível, mais significativos serão os resultados, e mais satisfeitos todos ficarão.

A questão, porém, é: como fazer isso acontecer? Como saber se as pessoas a sua volta estão de fato fazendo o seu melhor – ou, pelo menos, como identificar os comportamentos que poderão revelar a real disposição delas para atuar em sua empresa (área/setor)?

O primeiro passo, como você já sabe, diz respeito a você mesmo, e tem a ver com o seu grau de autoconhecimento, no sentido que abordamos nos primeiros capítulos: onde você está, o que está fazendo, aonde quer chegar e o que precisa fazer (e aprimorar) para chegar aonde quer. Isso é elementar, e nos lembra uma passagem bíblica: "Conhecereis a verdade e a verdade vos libertará" (João 8,32).

Em muitos momentos da vida – e também no trabalho – nós nos sentimos assim. Estamos presos a um lugar ou a um relacionamento sem compreender a verdadeira razão do que estamos fazendo ali. Não conseguimos ver o todo, a nossa trajetória, e agimos como se estivéssemos isolados, sem perspectiva, repetindo os mesmos passos, sem sair do lugar.

Se queremos sair desse marasmo, temos de olhar em volta, compreender o nosso momento e o que, afinal, estamos buscando – seja na vida, no trabalho ou num relacionamento. Nossas ações precisam ter um propósito claro, no sentido de nos ajudar a alcançar nossos objetivos. É preciso sonhar e acreditar em nossos sonhos. No entanto, isso é insuficiente: é fundamental construir caminhos para então realizá-los.

No mundo das empresas, isso fica mais claro porque tudo acontece de maneira integrada. As ações não são aleatórias nem ocorrem por acaso. Um empresário ou gestor não desenvolve pessoas (ou não deveria) de maneira desconectada dos objetivos do seu negócio. Na verdade, o que se busca é conectá-las, tentando encontrar uma sintonia entre as necessidades da companhia e o interesse das pessoas. Isto é, conciliando necessidade e capacidade de dar respostas adequadas. Essa mágica acontece quando as pessoas certas estão no lugar certo.

O desafio para gestores e empreendedores, nesse sentido, é enorme. A boa notícia é que, se você está lendo este livro, já está dando um passo fundamental no sentido de interpretar e decifrar os diferentes comportamentos das pessoas nas empresas. E poderá, posteriormente, aprimorar ainda mais essa avaliação com os relatórios fornecidos pelo CIS Assessment, esse poderoso instrumento de avaliação de perfis.

INTELIGÊNCIA COMPORTAMENTAL – COMO USÁ-LA NO CONTEXTO DAS ORGANIZAÇÕES

> "A habilidade executiva número 1 é escolher as pessoas certas e colocá-las nas posições certas."
>
> *Jim Collins, consultor norte-americano.*

Convidamos você a pensar nas grandes organizações mundiais: o que empresas como Nestlé, Apple, GM, Sony, Samsung e AmBev, entre outras bem-sucedidas, têm em comum?

Se pensarmos no sucesso dos produtos e nos imensos lucros que essas companhias obtêm, podemos sem dúvida dizer que altos investimentos em tecnologia, logística, estratégia e propaganda são aspectos comuns a todas elas. Você sabe que qualquer empresa, hoje, pode investir pesado em tecnologia, estratégia, propaganda e até em mão de obra, contratando inclusive os melhores especialistas do mercado. Contudo, será que isso é suficiente para que uma empresa tenha destaque e seja capaz de despertar o orgulho e o comprometimento de seus colaboradores e o interesse crescente de seus clientes?

O que, afinal, as diferencia?

Há algo especial numa empresa que a torna única: o conjunto de suas práticas, políticas, valores e comportamentos. É isso que conduz a trajetória da empresa e dos colaboradores. Chamamos a isso de cultura, algo que toda empresa tem. Em relação às organizações que mencionamos acima, o que as diferencia no mercado é justamente sua cultura, que no caso é concebida como uma *cultura de excelência*, ou *cultura de alta performance*. É isso que faz com que essas grandes organizações sejam lembradas – e se diferenciem tanto. Simplesmente porque possuem algo que é único e decisivo para o seu sucesso, e que não pode ser copiado nem transferido ou adaptado.

Alta performance e excelência são atributos inegociáveis nessas organizações, e isso é expresso e disseminado a todos os públicos dessas companhias, de maneira clara e bem definida. É algo que transcende salários, benefícios e se constitui num todo que envolve inclusive o ambiente, os produtos, os processos, as oportunidades de crescimento e os interesses da própria companhia. Por tudo isso, vale muito a pena lutar e participar! Pessoas que trabalham em empresas como essas sentem orgulho de participar de seus quadros funcionais. É nesse sentido que a cultura organizacional se torna a maior vantagem competitiva de um negócio ou empreendimento. Por ser única e decisiva, ela difere de todos os outros atributos e insumos, pois todos os outros podem ser copiados ou adaptados em qualquer empresa. A cultura, nunca!

A contrapartida é: quem trabalha nessas empresas é extremamente valorizado e reconhecido. E isso faz total diferença!

> *O conjunto de suas práticas, políticas, valores e comportamentos. É isso que conduz a trajetória da empresa e dos colaboradores. Chamamos a isso de cultura, algo que toda empresa tem.*

Apesar de toda organização ter sua própria cultura, o que a torna uma empresa de classe mundial, diferenciando-a em todo o mercado, é o grau de excelência dessa cultura. Para você ter ideia, entre as principais características desse tipo de cultura, é comum encontrarmos prioridades como estas:

1. Foco nos funcionários, e não no patrimônio – O potencial criativo das pessoas é extremamente valorizado nessas empresas. Todos são estimulados a buscar soluções, compartilhar ideias, sugestões, a pensar a empresa como se fossem eles mesmos os donos do negócio. Afinal, quem melhor que os próprios funcionários compreenderia as necessidades reais da empresa?

2. Cooperação, não competição interna – As pessoas são estimuladas a colaborar umas com as outras, o tempo todo. A ideia é que a conquista de um só colaborador não se reflete necessariamente em toda a empresa. Contudo, a conquista de todos é capaz de contagiar e impactar toda a equipe.

Em resumo, existe harmonia, oportunidade, interesse e valorização.

Nessa perspectiva, como você descreveria a cultura da sua empresa? Que traços destacaria para caracterizá-la? É uma cultura que estimula a cooperação ou a competição entre os colaboradores?

_____
_____
_____
_____
_____

Agora que você já tem mais clareza sobre a cultura da sua empresa e respondeu às perguntas anteriores, vamos examinar um pouco mais o que vem a ser, afinal, uma cultura organizacional.

Existem muitas definições sobre o que é cultura empresarial, mas podemos sintetizá-la com precisão nesta frase:

"Cultura é o comportamento coletivo de uma empresa".

A cultura reforça os propósitos da organização. E são esses propósitos que definem quais serão os valores, que se transformam em comportamentos os quais vão reforçar a cultura da empresa. Como você pode observar na figura a seguir, é um círculo que se retroalimenta.

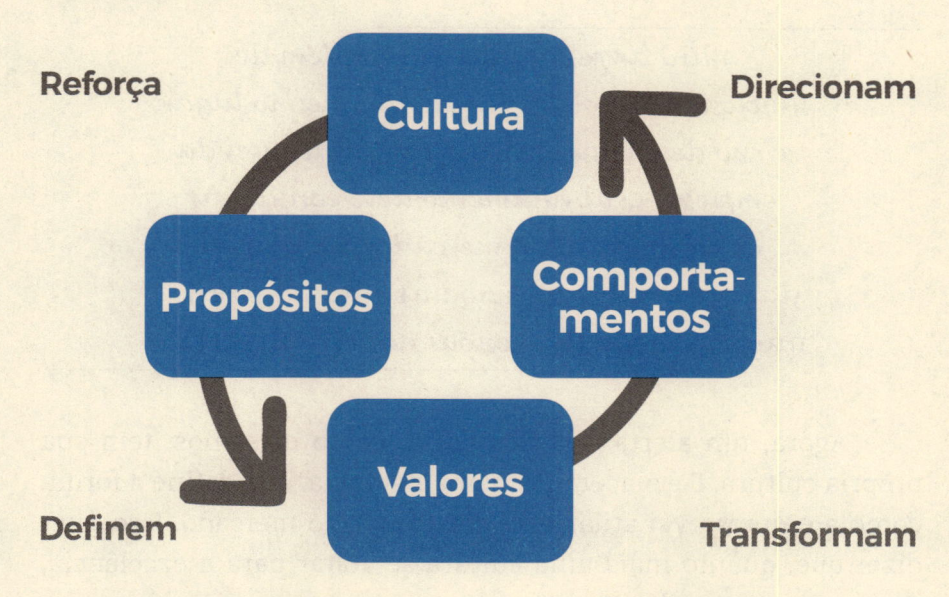

Reforça — Cultura — **Direcionam**
Propósitos — Comportamentos
Definem — Valores — **Transformam**

Também podemos dizer que esses comportamentos, além de refletir as histórias e os marcos da organização, expressam também a forma como as pessoas interagem entre si e com a própria empresa. E disso fazem parte o ambiente, o contexto, o momento vivido pelo negócio e as já conhecidas definições de valor, missão e visão de futuro.

É interessante observar como é comum encontrarmos empresas que adotam definições de cultura muito parecidas com essas que acabamos de descrever, em particular nos seus enunciados de missão, visão e valores (que é o que define, em linhas gerais, tanto aquilo que uma empresa faz como os critérios que ela adota para realizar sua visão de futuro). No entanto, a verdadeira marca da empresa estará nas pessoas, na forma como elas interagem e se comunicam no ambiente corporativo, independentemente daquilo que se escreve em seus manuais. Portanto, ainda que encontremos regras e normas similares, a maneira como elas serão implementadas e interpretadas varia em todas as empresas, e é isso o que vai definir o que uma organização é de verdade.

Alinhar pessoas vai muito além de simplesmente colocá-las em um mesmo lugar, e isso deve estar no centro dos interesses da empresa! O alinhamento deve considerar os movimentos do mercado, a evolução das questões ligadas ao trabalho e à própria transformação das pessoas nas organizações.

Agora, um alerta: toda empresa, como dissemos, tem sua própria cultura. E é ela, em primeira instância, que define a forma como a empresa vai atuar e se posicionar no mercado. Isso quer dizer que, quanto mais uma cultura se voltar para a excelência, mais a empresa refletirá isso em seus produtos, posição no mercado, rentabilidade e satisfação para todos os seus públicos (clientes, colaboradores, acionistas, fornecedores etc.). De maneira inversa, o cenário é bastante complicado. O caos, os insucessos, as falhas e a desmotivação são, também, reflexos da cultura organizacional. A cultura, portanto, é um retrato da empresa.

O ponto é saber quão bem na foto você e sua companhia estão se saindo!

Fala-se que Peter Drucker, um dos mais aclamados consultores e estudiosos das organizações modernas, costumava dizer, em tom de alerta, em suas palestras quando se referia ao sucesso no mundo corporativo:

"A cultura devora a estratégia no café da manhã".

O que significa essa frase? Você pode ter a melhor estratégia do mundo, a melhor tecnologia, recursos, investir pesado em propaganda ou em qualquer outro insumo valioso, mas, se não tiver uma cultura bem implantada e fortalecida dentro da sua empresa, a estratégia vai embora, não se efetiva e o negócio fracassa.

Em outras palavras, se a equipe não está alinhada, em termos comportamentais, com os procedimentos da empresa, ou se não há uma comunicação capaz de engajar as pessoas, se não há sintonia com a missão, com os valores e com a visão da companhia, não há como atingir as metas e gerar resultados consistentes. Numa situação dessas, a cultura organizacional é ineficaz, desastrosa, e, se não leva a empresa à falência, gera muito prejuízo e insatisfação interna (com colaboradores, principalmente) e externa (com clientes, parceiros e fornecedores). As pessoas que trabalham em empresas assim têm um só compromisso: estão aguardando uma oportunidade para sair desses lugares.

Alinhar pessoas vai muito além de simplesmente colocá-las em um mesmo lugar, e isso deve estar no centro dos interesses da empresa! O alinhamento deve considerar os movimentos do mercado, a evolução das questões ligadas ao trabalho e à própria transformação das pessoas nas organizações. Esses aspectos estão relacionados com os interesses profissionais do indivíduo, com sua visão de mundo, com o momento que ele está vivendo e também com sua posição geracional.

Para muitos especialistas da área corporativa, há basicamente quatro gerações bem distintas quanto à forma de se relacionar no trabalho. Vejamos:

Baby Boomers – Assim eram chamadas as pessoas que trabalhavam nos anos 1970/1980. O lema delas era manter as coisas simples, bem definidas. O espaço de trabalho limitava-se à empresa (não havia trabalho fora dela). As responsabilidades eram individuais e específicas, tudo tinha hora para começar e terminar (incluindo a jornada de trabalho), dentro de uma estrutura rígida, linear e hierarquizada. A relação de trabalho era do tipo paternalista, e, devido ao fato de as empresas representarem segurança, fazia todo o sentido "vestir a camisa" do negócio. Era como se dissessem: a empresa cuida de mim, e eu dou minha vida a ela. As recompensas eram quase uma garantia, se você se entregasse de corpo e alma, e das oito às seis.

GERAÇÃO X – São os filhos dos *Baby Boomers*. Eles mudaram quase tudo em que seus pais acreditavam, sobretudo a relação entre tempo e recompensa. Eram ansiosos por fazer acontecer, individualistas e tinham muito senso de urgência e ambição. Por serem muito competitivos e altamente confiantes, faziam tudo para subir na hierarquia da empresa, o mais rápido possível. Por uma configuração de mercado, no início da chamada globalização, boas ideias geravam sucesso instantâneo. Ao contrário da geração anterior, em que a experiência era determinante para a ascensão na carreira, aqui o que faz a diferença é a chamada meritocracia. Uma ideia lucrativa poderia pôr a pessoa direto num posto de chefia. Outra distinção em relação à geração anterior é que para o pessoal da *Geração X* o que conta é "estar no lugar certo e na hora certa". Essa é a definição de tempo de trabalho – ao contrário das oito horas diárias exercidas pela geração anterior. O *happy hour* também se institucionalizou como uma extensão do escritório, e daí começou a conhecida mistura entre trabalho, lazer, saúde e família.

Geração Y (também conhecida como *Millennials*) – Aqui as coisas mudaram completamente. A começar por uma definição bem significativa: aproveitar a caminhada parece ser mais importante do que chegar a um destino qualquer.

É uma geração despojada e imprevisível, que elege o prazer como sinônimo de realização. Isso significa que, para eles, o trabalho tem hora certa, e a hora é justamente agora, o tempo presente. Por isso essa geração tem uma capacidade enorme de reconhecer oportunidades que combinam prazer e trabalho – o trabalho, na verdade, como uma extensão do prazer. O empreendedorismo é uma marca muito forte dessa geração. De acordo com algumas pesquisas, muitos deles já têm ou pensam em ter o próprio negócio. Por serem muito rápidos e impacientes, e terem uma mentalidade que pode ser definida como "digital", "líquida" (no sentido de muito flexível) e "coletiva", estão desenhando um novo jeito de trabalhar no futuro. Uma diferença significativa em relação às gerações anteriores é que projetos que se definem apenas no médio ou longo prazo não os estimulam. E, de modo geral, são avessos a qualquer tipo de hierarquia. Aqui tudo é de igual para igual, e com respeito mútuo.

Geração Z – As pessoas dessa geração já nasceram em um mundo totalmente digital. São familiarizadas com a internet desde cedo. Ainda crianças, já têm acesso a *smartphones, tablets, notebooks, redes e aplicativos dos mais variados tipos*. São, dessa forma, indivíduos fortemente conectados. Suas principais características são: compreensão da tecnologia, capacidade de exercer multitarefas, domínio de novos processos e programas, velocidade e interatividade (às vezes consideram melhor a interação virtual do que a presencial). Os membros dessa geração querem trabalhar com projetos com os quais se identificam. Buscam empresas sustentáveis e que tenham uma causa. Ágeis e inovadores, precisam sentir-se parte de algo maior, pois para se realizarem precisam impactar a vida das pessoas. Em síntese, querem tanto crescer quanto contribuir para o crescimento alheio, tanto quanto querem ver todas essas mudanças acontecerem rapidamente.

Imagine como é complexo trabalhar num mesmo lugar com todas essas gerações! Se a empresa quiser que cada uma delas dê o melhor de si, terá de trabalhar sua cultura para que ela possa espelhar essas diferenças, e de tal modo que essas pessoas se sintam tanto respeitadas quanto à vontade – além de motivadas! – para atuar. Não é fácil encontrar um caminho que possa acomodar todos esses interesses. No entanto, se você, enquanto gestor ou executivo, está buscando o crescimento de sua empresa, o melhor caminho para o sucesso é o da diversidade[9].

Ao considerar as formalidades naturais dos processos de contratação, é fundamental estarmos atentos ao que buscamos nas pessoas, para além de suas habilidades, competências e conhecimentos. É preciso, nas empresas, juntar a capacidade do fazer com a possibilidade de realizar. Não dá mais para ficar apenas com um desses aspectos. No passado, isso até podia funcionar, mas hoje, se pensarmos nas metas do negócio, na necessidade de termos equipes motivadas e pessoas satisfeitas e felizes, é fundamental olharmos para todos os lados.

Em resumo, a cultura de uma empresa se define pelo comportamento das pessoas, em toda a sua diversidade, e não pelos conhecimentos ou habilidades técnicas. A excelência empresarial vai expressar tanto o comportamento dos colaboradores quanto suas qualidades e competências. Quando esses aspectos estão em desacordo, as perdas e os prejuízos são inevitáveis.

> "Contrata-se por currículo, habilidades técnicas e experiência profissional. Porém, demite-se por falhas ou inadequações comportamentais para o cargo ou função."
>
> *Deibson Silva*

---

[9] Pause um pouco a leitura e assista ao vídeo *All work and all play*, com legendas, para ter uma ideia bem interessante de como tudo isso está acontecendo no mundo. Confira neste endereço: <https://www.youtube.com/watch?v=F12DAS-ZNDY>. Acesso em: 17 jul. 2018.

COMPORTAMENTOS INADEQUADOS DERRUBAM A MAIS ALTA COMPETÊNCIA TÉCNICA

Não é novidade que, de modo geral, os gestores sempre valorizaram muito mais as competências técnicas de seus funcionários, em detrimento das comportamentais. Ao contratar uma pessoa, a área de Recursos Humanos examina atentamente o currículo do candidato, avaliando o seu nível de conhecimento técnico e a formação que o credenciará para a vaga. Pouco se fala dos aspectos comportamentais, isto é, como essa pessoa agiria em determinadas situações, se poderia trabalhar bem em grupo, como reagiria se estivesse sob pressão ou diante do desafio de superar algum obstáculo e atingir uma meta estratégica.

Ainda hoje, poucas são as empresas e profissionais que entendem a real importância e contribuição do fator comportamental para o sucesso de pessoas e organizações. Muitas contratam quase que exclusivamente com base na competência técnica, e para atender a demandas específicas. Nesse sentido, é comum ouvirmos os gestores fazendo suas solicitações às áreas de recrutamento e seleção: "Preciso de alguém que entenda muito disso..."; "... que saiba resolver esse tipo de problema", "... que conheça esse e tal assunto profundamente... e o mais rápido possível!".

Nesses casos, a pessoa é admitida para resolver problemas circunstanciais, ou para ajudar a empresa a conquistar uma conta ou projeto. Passado aquele momento, o colaborador quase sempre é realocado (às vezes para uma área em que não tem a menor condição de atuar), ou fica "encostado", e passa a "cumprir tabela", sem uma função estratégica na empresa.

O problema, entre tantos outros gerados por uma contratação equivocada, é que mais cedo ou mais tarde será preciso refazer todo o trabalho. O custo de trocar uma pessoa é alto, envolve tempo, retrabalho, um novo processo de seleção, análise de currículos, treinamento etc. – sem falar dos custos relativos a verbas rescisórias, que sempre impactam de muitas formas, e daqueles que geram frustração, desânimo e sensação de fracasso.

> *Ainda hoje, poucas são as empresas e profissionais que entendem a real importância e contribuição do fator comportamental para o sucesso de pessoas e organizações.*

A bem da verdade, o maior prejuízo numa situação dessas é que a empresa, com esse tipo de contratação (e eventual demissão etc.), acaba não saindo do lugar. Perde-se tempo e oportunidade de interagir e integrar um colaborador que, se tivesse sido contratado da maneira adequada – sendo avaliado tanto do ponto de vista técnico quanto do comportamental e emocional –, certamente estaria trazendo valiosas contribuições para o negócio.

Se você é gestor, já realizou alguma contratação errada? Sabe exatamente quanto isso lhe custou financeiramente? Que consequências isso trouxe tanto para a equipe quanto para você?

_____
_____
_____

Se você é funcionário, já esteve em um cargo no qual se sentia infeliz? Ou numa posição em que percebia não ser capaz de atender plenamente às exigências comportamentais da função? Quais foram as consequências disso na sua vida?

_____
_____
_____

Há várias formas de saber se seus colaboradores estão na função certa. A primeira, naturalmente, é esta: as coisas não estão acontecendo do jeito que deveriam. E isso é fácil de medir; basta olhar para os resultados. Além disso, outros sinais são percebidos quando, por exemplo, os prazos não são cumpridos, falta motivação à equipe, as tarefas são feitas de maneira automática, sem criatividade, não há preocupação com melhorias ou em evitar desperdícios. Isso sem falar nos equívocos que resultam em retrabalho e prejuízos.

O problema é que, muitas vezes, todos esses sinais são interpretados de maneira inapropriada. No caso das chefias, é comum achar que os erros acontecem por questão de incompetência, ou por falta de preparo técnico de algum colaborador. Do lado dos colaboradores, às vezes se alega falta de clareza nas solicitações, falta de recursos adequados etc. Isso quando não culpam fatores externos, políticos, planos econômicos etc.

O fato é que quase nunca se vai ao ponto-chave: falta interação, comunicação e entendimento das razões que estão fazendo as pessoas se comportarem daquela determinada maneira. Falta ouvi-las, compreender suas necessidades e atitudes.

Nas próximas linhas trataremos de inteligência emocional, tema indispensável para maximizar os resultados de pessoas e organizações.

INTELIGÊNCIA EMOCIONAL

Até 1983, ano em que o psicólogo norte-americano Howard Gardner, professor de Harvard, lançou o livro *Estruturas da mente*, muitos ainda acreditavam que a inteligência era atribuída apenas aos altos índices de Q.I. (*Quociente de Inteligência*). Esse paradigma foi confrontado por Gardner, que mostrou em seus estudos que as pessoas têm diferentes habilidades, e que nem todos aprendem da mesma forma. Ele apresentou em sua obra, depois de longos anos de pesquisas, sete dimensões da inteligência. São elas:

- ▶ Espacial.
- ▶ Musical.
- ▶ Verbal.
- ▶ Lógico-matemática.

- Interpessoal.
- Intrapessoal.
- Corporal.

A esse conjunto de faculdades atribuiu-se o nome de **inteligências múltiplas**, com o qual os estudos de Gardner passaram a ser conhecidos no mundo todo. Vamos pegar duas dessas inteligências: a interpessoal e a intrapessoal. A interpessoal se refere à capacidade do indivíduo de se relacionar com outras pessoas, e a intrapessoal tem a ver com o modo como próprio indivíduo se relaciona consigo mesmo, com seus desejos, angústias e interesses. Essas duas inteligências somadas resultam no chamado Q.E. (*Quociente Emocional*), um conceito que, anos mais tarde, o psicólogo Daniel Goleman definiu como **Inteligência Emocional**.

Numa primeira análise desses dados, podemos afirmar o seguinte: uma pessoa com baixo Q.I., em princípio, terá alguma dificuldade em seu crescimento ou desenvolvimento profissional. Já um indivíduo com baixo Q.E. poderá ter toda a sua carreira destruída, por maior que seja o seu Q.I. É por isso que qualquer processo relacionado ao desenvolvimento humano deve enfatizar e estimular ao máximo ações que promovam o autoconhecimento. Explorar suas potencialidades, conhecer e trabalhar suas potencialidades e desenvolver aquilo que é realmente imprescindível para o seu crescimento são aspectos que com certeza vão contribuir para que você se destaque e se realize em sua empresa. E, como ninguém cresce e se desenvolve sozinho, é fundamental que você se junte a pessoas que possam complementar o seu perfil comportamental. É uma medida que certamente vai fortalecer a sua equipe, a sua área e o seu negócio.

COMO NOVOS COMPORTAMENTOS SÃO DESENVOLVIDOS?

Em vários momentos neste livro afirmamos, com base nas teorias aqui apresentadas, que todos nós possuímos, em diferentes graus, todas as tendências comportamentais necessárias para atuar com naturalidade em qualquer ambiente. Isso quer dizer que haverá momentos em que estaremos mais preparados para atuar, para agir ou reagir. E haverá outras circunstâncias em que será necessário aprimorar determinadas características, reorientar certos impulsos etc. De qualquer modo, o primeiro passo – não nos cansamos de dizer! – está em tomar consciência dessa necessidade, o que ocorre a partir do autoconhecimento.

Contudo, o que podemos fazer quando percebemos algumas carências e dificuldades?

Podemos estimular ou incentivar o que funciona e adequar o que atrapalha. Vale lembrar uma lei formulada pelo naturalista Jean-Baptiste de Lamarck, intitulada "Lei do uso e desuso". O conceito é simples: aquilo que você, leitor, usa se desenvolve, e aquilo que não usa atrofia. Isso pode ser visto na prática: se você trabalha um músculo, ou seja, se vai à academia "malhar", com toda a certeza, depois de muitos exercícios e repetições, desenvolverá esse músculo, tornando-o mais forte e maior do que quando iniciou o seu treinamento. Da mesma forma, caso pare de se exercitar, esse músculo vai enfraquecer, ficará flácido e diminuirá de tamanho.

---

como ninguém cresce e se desenvolve sozinho, é fundamental que você se junte a pessoas que possam complementar o seu perfil comportamental. É uma medida que certamente vai fortalecer a sua equipe, a sua área e o seu negócio.

O mesmo ocorre com os comportamentos. Eles podem ser desenvolvidos, reorientados ou adaptados. No entanto, será preciso identificá-los. E depois mapear os seus pontos fortes (aquilo que você faz melhor), identificar carências (comportamentos que precisam ser melhorados), para então formular um plano de (auto)desenvolvimento. Essa análise prévia é importante para que você concentre energia nos pontos necessários, sem desperdiçá-la.

Veja este exemplo: digamos que você seja um gestor que tenha dificuldade em lidar com detalhes e de seguir regras e rotinas. Em contrapartida, é um ótimo líder, especialmente por sua habilidade nata em se comunicar, comandar pessoas e tomar iniciativas rápidas. Como você sabe, num cargo de liderança, é inevitável que enfrente situações em que se exija a análise de dados, organização e certo respeito a normas. O que você pode fazer para estabelecer algum equilíbrio em sua atuação? Bem, será necessário entender um pouco mais sobre como lidar com regras e padrões, e possivelmente trabalhar sua ansiedade, aprendendo a ser mais paciente e tolerante. Contudo, atenção: você não deve se desviar de sua vocação natural, de ser o líder que se comunica bem e que decide com rapidez. Portanto, abrir espaço para novos conhecimentos é algo importante e o ajudará a compensar algum desequilíbrio, mas investir toda a sua energia nisso, abandonando o que naturalmente você faz melhor, com certeza não será uma boa ideia. Se fizer isso, você dificilmente vai atingir um patamar de excelência nas habilidades que não lhe são natas – assim como pode enfraquecer suas melhores qualidades.

Portanto, é importante reconhecer suas limitações – tanto quanto seus pontos de excelência. E, na medida do possível, aprimorar ou desenvolver as características necessárias para o seu bom desempenho, mas sem que isso afete ou enfraqueça as competências que você já domina.

Vale dizer: quanto mais identificar e compreender, em você e nos outros, as descrições de comportamento da Teoria DISC, dos Tipos Psicológicos e da Teoria dos Valores, melhores serão suas chances de explorar e usar todo o seu potencial para realizar-se.

Na posição de líder, é aconselhável que você se relacione com pessoas que possam fortalecer sua atuação e que tenham condições de dar suporte sobretudo nos seus comportamentos menos desenvolvidos. Esqueça aquele profissional que faz tudo, que "joga em todas as posições". Isso não faz mais sentido, nem é o que as empresas mais buscam. O foco hoje é saber compartilhar, delegar, dividir tarefas, trabalhar em conjunto. Ou seja, as competências que lhe faltam poderão ser complementadas pela ação de pessoas que, em conjunto, o ajudarão a atingir suas metas.

TER A PESSOA CERTA NO LUGAR CERTO DÁ UMA SORTE!

Responda às perguntas a seguir com profundidade. Isso vai permitir que você reflita sobre o seu momento e adquira uma consciência real dos resultados profissionais que vem alcançando.

Em um dia produtivo, o que você mais gosta de fazer no seu trabalho?

_____
_____
_____

E nesse mesmo dia produtivo, o que você menos gosta de fazer no trabalho?

_____
_____
_____

Você passa a maior parte do seu dia produtivo fazendo aquilo que é relacionado às suas competências naturais ou em atividades que não são inerentes ao seu perfil?

_____
_____
_____

De 0 a 10 (sendo 0 a nota mais negativa e 10 a nota mais positiva), o quanto você gosta do seu trabalho? (Na medida do possível, explique essa sensação.)

_____
_____
_____

Agora, vamos falar sobre o seu colaborador:

Você acha que ele usa 100% da própria capacidade produtiva na organização? Se a resposta for negativa, quais consequências isso traz para a empresa? Quais consequências pode trazer para o colaborador?

_____
_____
_____

O seu colaborador passa a maior parte do tempo dele na empresa fazendo aquilo que tem mais competência e talento para fazer ou em atividades para as quais ele não tem a competência adequada?

_____
_____
_____

Sobre as questões anteriores, podemos avaliá-las em três possibilidades. Qual será o seu caso?

1) Você está plenamente satisfeito – Se essa é a sua realidade, saiba que aquilo que está bom sempre pode ficar extraordinário. Tente descobrir se os outros membros da equipe também estão satisfeitos e se, enquanto time, vocês têm gerado grandes resultados individuais e coletivos.

2) Você está parcialmente satisfeito – Nesse caso, a pergunta é: o que você precisa fazer para conseguir realizar-se plenamente? Você consegue identificar os obstáculos e construir caminhos alternativos para superá-los? Responda a essas perguntas nas linhas abaixo e, em seguida, faça os mesmos questionamentos aos seus colaboradores.

_____
_____
_____

3) Se suas respostas foram negativas e você está insatisfeito com o seu trabalho e/ou ocupa uma função que não parece congruente

com o seu perfil ou com os seus valores, propomos um exercício que poderá ajudá-lo a direcionar suas futuras decisões profissionais, levando-o a atuar em alta performance.

    a) **Entendendo onde você está** – que caminhos o levaram para o lugar (empresa, carreira, função etc.) em que você está hoje?

___

___

    b) **Clareza e visão** – onde você gostaria de estar? Em que carreira, empresa ou função acha que se sairia melhor?

___

___

    c) **Impedimentos** – você consegue ver claramente quais são os obstáculos que o impedem de realizar-se nessa empresa – ou carreira/função? Tente identificá-los (são de ordem pessoal, profissional, acadêmica, financeira?)

___

___

    d) **Construindo caminhos** – o que você poderia (e deveria) fazer para superar os obstáculos mencionados acima e atingir ou realizar-se em sua vida profissional? (Quanto mais específico você for, mais chances terá de pôr em prática o seu plano.)

___

___

Agora que respondeu ao exercício anterior e possui mais consciência sobre os seus resultados profissionais atuais, lembramos que, mesmo que suas respostas tenham sido ruins, sempre é possível obter mudanças (em qualquer idade ou fase da vida). O simples fato de estar com este livro nas mãos já representa um importante passo para obter grandes resultados na sua carreira e/ou empresa. Se chegou até aqui, você já conhece seu perfil comportamental, tem ciência daquilo que é importante para você e entendeu os seus pontos fortes. Então, pedimos que escreva a seguir duas ações/decisões que serão verdadeiramente impactantes na sua vida profissional.

(Mesmo que você não acredite, hoje, que essas ações/decisões poderão se concretizar, nós insistimos para que você as escreva. Esse é um passo fundamental no caminho das mudanças.)

Quais seriam essas ações/decisões?

1. _____
2. _____

E SE VOCÊ ESTIVESSE EM UM LUGAR ONDE PUDESSE APLICAR TUDO O QUE SABE?

Você já imaginou quantos talentos estão sendo desperdiçados na sua empresa por estarem no lugar errado? Caso estejam no lugar certo, estão adequadamente preparados para as funções que exercem? Sabem trabalhar em equipe? Têm realmente vocação para o que estão fazendo?

Não compreender isso é como andar à beira de um abismo, sem se dar conta da distância que separa a terra firme de um precipício. Gestores e líderes cometem com frequência esse erro. Têm expectativas equivocadas, esperam coisas impossíveis de seus colaboradores, e quando nada funciona acham que basta trocar a pessoa ou o modelo de gestão para que tudo se resolva. Duas frases populares, e muito pertinentes, ilustram essa percepção caótica de muitas empresas. A primeira a frase é esta:

"Todo mundo é gênio. Contudo, se você julgar um peixe por sua capacidade de subir em uma árvore, ele vai gastar toda a sua vida acreditando ser incompetente".

Essa frase encerra duas verdades: a primeira é que muitos gestores e executivos julgam, avaliam e medem a capacidade de seus colaboradores em condições análogas à do peixe mencionado na citação. Eles têm uma expectativa enorme (e em geral equivocada) da capacidade de alguns de seus funcionários. Quando a promessa não se realiza, e as coisas continuam dando errado, trocam a pessoa e repetem o processo da mesmíssima forma, achando que com a mudança do colaborador as coisas serão diferentes. Isso nos leva a uma segunda frase, também popular e bastante apropriada para descrever esse tipo de situação:

> "É uma insanidade fazer a mesma coisa repetidas vezes e esperar resultados diferentes a cada momento".

Como sugerimos, e com certeza você já percebeu, tanto gestores quanto colaboradores, em situações desse tipo, não entendem o que realmente se passa. Os gestores, de um lado, por estarem sempre de olho nas metas e nos resultados, não percebem a falta de comunicação com os colaboradores, não compartilham adequadamente a estratégia e, obviamente, mal se dão conta de que talvez estejam recrutando de maneira equivocada. Em contrapartida, os colaboradores, sem uma avaliação adequada, e mesmo que bem-intencionados, se frustram e se angustiam por não conseguirem ter um desempenho conforme o que deles se espera.

Em ambos os casos, gestores e colaboradores olham apenas para a realidade objetiva das coisas, e abrem mão de uma reflexão mais profunda da vida, do mundo e da própria experiência. Quase sempre estão fechados para compreender o outro, o que é quase uma consequência de não compreenderem a si mesmos.

Imagine o setor de vendas de uma grande empresa, onde costumam ser mais visíveis esses problemas. Um profissional de vendas, da linha de frente, deve ser alguém com boas características de sociabilidade, empatia, interação, persuasão, além de possuir excelente comunicação e perspicácia. Entretanto, nem sempre nos deparamos com profissionais assim preparados.

Pense num consultor que busca potenciais clientes para apresentar-lhes propostas de venda e fazer acompanhamentos posteriores em relação à intenção de compra. Ele deve ser um profissional que: gosta de rotinas, é detalhista, é capaz de manter um ritmo leve na conversa, sabe ouvir, presta atenção aos interesses que o potencial cliente revela, a ponto de perceber inclusive quando a pessoa *não é* um cliente potencial, ou que o momento não é o mais apropriado para a abordagem. Nem sempre, porém, isso acontece. Às vezes o cliente é tratado como se fosse um mero CPF, cujo número está numa relação de potenciais clientes. O consultor não ouve suas objeções; tudo o que ele quer é "empurrar" o produto, ou um pacote de ofertas, sem se importar se é ou não aquilo que o cliente mais precisa naquele momento.

O fechamento de uma venda é outra etapa importante. Aqui o gerente-consultor precisa ter foco em resultados, precisa saber lidar com clientes diferentes, às vezes ao mesmo tempo, e com todos eles precisará manter o mesmo nível de excelência, respondendo com clareza, cortesia e objetividade.

O que enfatizamos é que não basta ter competência se a pessoa não souber usar adequadamente essa qualidade, ou se não estiver num ambiente em que tal competência possa ser valorizada. Como sugeriu Peter Drucker, sem uma cultura de excelência, de nada adiantam a melhor estratégia, as pessoas mais competentes e todos os recursos e investimentos.

São poucas as pessoas que conseguem manter um nível de qualidade em seu trabalho quando não estão fazendo o que mais gostam. De modo geral, pessoas pouco vocacionadas para funções que exigem competências específicas tendem a ter um desempenho ruim. Isso, porém, não é só culpa delas – também é responsabilidade de quem as contrata.

Se você, enquanto gestor, conseguir despertar o potencial máximo das pessoas, criando oportunidades, na maior parte do tempo possível, para o que elas têm de melhor, é certo que sua empresa ou empreendimento vai colher sempre os melhores resultados – sem contar que, à medida que esse paradigma se disseminar, maior será sua contribuição para um ambiente harmônico, em que as pessoas se sintam, a um só tempo, satisfeitas e realizadas, oferecendo resultados extraordinariamente mais expressivos.

Não basta ter competência se a pessoa não souber usar adequadamente essa qualidade, ou se não estiver num ambiente em que tal competência possa ser valorizada.

TIME IS MONEY

Segundo um estudo da Harvard University[10], 80% do *turnover* (rotatividade) mundial está relacionado a "erros na contratação". Como costumamos dizer nos nossos cursos e seminários, ter a pessoa certa no lugar certo dá uma sorte! Vamos entender agora o porquê.

Você já parou para calcular os custos de uma contratação malsucedida?

Certamente não é um custo que deva ser ignorado – e vamos mostrar isso a você. Se levarmos em conta a expressão *time is money*, ou seja, "tempo é dinheiro", devemos considerar como investimento todo o tempo que um gestor de RH e sua equipe levam para criar as atribuições de cargo: elaborar anúncios da vaga, analisar currículos, ligar para os candidatos, checar referências, pesquisar sobre os candidatos nas redes sociais (se sua empresa ainda não faz isso, é importante começar a fazer!), agendar entrevistas, entrevistar, realizar dinâmicas de grupo, direcionar o candidato para

---

[10] Disponível em: <https://www.tristarrjobs.com/2011/08/harvard-university-michigan-results-shows-improved-selection-process>. Acesso em: 19 jul. 2018.

que o gestor direto dele o avalie etc. E não é só: após a contratação, vêm os treinamentos teóricos e práticos, o período de experiência, os acompanhamentos etc. Tudo isso e ainda nem chegamos aos custos diretos do colaborador depois de contratado, que incluem salário, benefícios, encargos e tributos.

Para você ter ideia, temos um cálculo aproximado (e bastante conservador) do custo de admitir uma pessoa nessas condições. Numa contratação equivocada, e posterior demissão, os custos envolvidos em todo o processo chegam a ser até seis vezes o valor do salário-base do profissional contratado – e depois demitido!

Estamos calculando aproximadamente todos os custos envolvidos, em todas as etapas, incluindo as horas do pessoal responsável pela contratação e também os custos rescisórios. É claro que cada caso tem variáveis específicas. Se você fizer as contas na sua empresa, com certeza vai chegar a um valor cuja proporção será superior ao que estamos estimando aqui. Pois bem, um profissional contratado, com salário de R$ 2.000,00, e demitido dois meses depois, vai gerar um custo de cerca de R$ 12.000,00. Se o salário do contratado for maior, também maiores serão esses custos.

Vamos ver quanto custa ou qual é o tamanho do prejuízo médio de uma contratação malfeita no Brasil.

O Ministério do Trabalho e Emprego divulgou recentemente que o percentual de *turnover* médio das empresas brasileiras é de 35% ao ano. Significa dizer que uma empresa com 100 funcionários no Brasil, de acordo com essa estatística, deverá ter um *turnover* médio de 35%. Ou seja, 35 pessoas em média são demitidas e contratadas nessa empresa ao ano. Se considerarmos que 80% do *turnover* mundial se dá por erros de contratação, de acordo com o estudo da Harvard University[11] que mencionamos acima, podemos dizer que, dos 35% de *turnover* dessa empresa brasileira, 28% serão por erros de contratação.

---

[11] Disponível em: <http://g1.globo.com/economia/noticia/2010/12/taxa-de-rotatividade-no-trabalho-ultrapassa-35-nos-ultimos-anos.html> e <http://www.solides.com.br/mkt/mailing/rhportal/2015/1_ebook_turnover/turnover.pdf>. Acesso em: 19 jul. 2018.

Vamos fazer as contas.

Se, numa empresa com 100 funcionários, o *turnover* (rotatividade de funcionários) anual é de 35%, podemos dizer que o percentual de contratações equivocadas é de 28% (80% sobre 35%). Portanto, se um funcionário com salário-base de R$ 2.000,00 for demitido em razão de uma má contratação, isso vai gerar um prejuízo de R$ 12.000,00, aproximadamente (seis vezes o salário-base dele).

Se num ano forem dispensadas 28 pessoas nessas mesmas condições (demitidas por erros de contratação), isso vai gerar um prejuízo anual de aproximadamente R$ 336.000,00!

Em resumo, no Brasil, uma empresa com 100 funcionário gasta (ou perde) R$ 336.000,00 por contratar errado. Esse é o tamanho do prejuízo quantificável em valores. Há outros custos/perdas, como o desgaste dos funcionários envolvidos, o conflito gerado pelos equívocos, a instabilidade que isso gera na equipe e todo o empenho em preparar novas campanhas de contratação.

Talvez a coisa fique ainda mais dramática se pensarmos no quanto essa mesma empresa deixa de ganhar apenas por contratar errado.

Ou seja, para quem se propõe a ter lucro, contratar errado é o mais absoluto contrassenso.

Chegam a ser assustadores todos esses custos, desperdícios, desencontros e perda de tempo. Isso, porém, não é o pior. O pior mesmo é não se dar conta do quanto isso é danoso para toda a empresa.

Como você viu até aqui, a necessidade de compreender e decifrar os comportamentos é algo que tem muito a ver com encontrar a pessoa certa para ocupar o lugar/cargo certo. Entretanto, agora você também sabe que, caso esse não seja um bom argumento para convencer os gestores da empresa, será possível mostrar a eles que a pessoa errada, mesmo que no lugar certo, custa muito caro para a empresa.

APLICAÇÕES DOS RECURSOS E ANÁLISES

As análises de perfis, tanto quanto os relatórios gerados pela ferramenta CIS Assessment, são rigorosamente determinantes não só para a contratação de pessoas como para realocá-las de acordo com seus perfis e potencialidades. Um dos momentos em que essas informações são mais usadas é na montagem da arquitetura de cargos e perfis. A ideia, a princípio, é desenhar ou definir para cada cargo o perfil ideal de atuação. Isso é possível depois de compreendermos a cultura da empresa, seus objetivos, sua missão e seus valores.

Se a sua empresa ainda não possui uma arquitetura dos cargos, definindo com exatidão qual o perfil técnico e comportamental de cada função, você pode estar perdendo dinheiro com contratações equivocadas e até prejudiciais para o seu negócio.

O sucesso de um profissional está diretamente ligado ao seu perfil comportamental, ou seja, para cada cargo existe um perfil ideal, que, por sua vez, não pode ser igual em todas as empresas. O perfil de um consultor comercial da Ambev, por exemplo, não é o mesmo de um consultor comercial da Natura, pois, além de pertencerem a nichos de mercado diferentes, essas empresas possuem culturas diferentes.

> *A necessidade de compreender e decifrar os comportamentos é algo que tem muito a ver com encontrar a pessoa certa para ocupar o lugar/cargo certo.*

O primeiro passo para elaborar a arquitetura comportamental de um cargo é ter a compreensão sobre a cultura da empresa, de seu momento atual, do posicionamento e objetivo dela no mercado. Depois disso, é preciso ouvir o RH e o gestor direto do cargo para entender quais conhecimentos são necessários, e também definir as atribuições (principais atividades) e responsabilidades que a função exige. São atividades importantes e essenciais para o sucesso de uma contratação.

É importante também tomar cuidado para não cair no erro de muitos executivos que, ao estabelecer parâmetros para uma contratação, acabam idealizando verdadeiros super-homens, profissionais perfeitos – como se eles existissem e estivessem disponíveis no mercado. O que buscamos contratar são seres humanos, gente de carne e osso, com pontos fortes e pontos a serem desenvolvidos, e com potencias competências e reais deficiências. Contudo, só vamos encontrá-los se olharmos além de suas credenciais e formalidades. Por isso precisamos aprender a decifrar essas pessoas, estudar seus comportamentos e aceitá-las como são, compreendendo seus interesses e desejos.

Quando isso acontece, podemos então pensar em qual seria o lugar ideal para que tivéssemos o maior nível de adequação possível entre pessoa e cargo, considerando necessidades *versus* capacidade de atendê-las, tanto do ponto de vista técnico como do comportamental.

As informações de avaliação de perfil podem e devem ser usadas na "engenharia das funções". Explicamos melhor: numa equipe, por exemplo, o gestor seleciona quatro ou cinco dos seus melhores profissionais, de acordo com o desempenho e as habilidades deles, e apresenta os perfis de cada um. Com o CIS Assessment é possível gerar um relatório indicando o Perfil Médio do Sucesso daquela função ou cargo, ou seja, um mapa real das competências e comportamentos necessários para uma atuação excepcional. Essas informações vão definir parâmetros de alto desempenho para a equipe e nortear futuras contratações ou movimentações. Diferentemente das descrições de cargo feitas apenas no papel, a engenharia de função realizada com o CIS Assessment pode ajudar a empresa e seus gestores a criar referências seguras de contratação, além de definições claras do que deve ser evitado no recrutamento de pessoas.

Com as informações que estamos apresentando neste livro, será possível fazer levantamentos de perfis e ter uma ideia aproximada do que se está buscando na empresa, ou num departamento, em termos de desempenho, cargo e função. No entanto, para uma definição mais abrangente e precisa, é fundamental usar a ferramenta CIS Assessment, pois com ela é possível gerar relatórios completos, com informações exatas e projeções de perfis avaliadas de acordo com as três teorias aqui apresentadas: o DISC, os Tipos Psicológicos e a Teoria de Valores.

Além de poder ser aplicada na contratação de pessoas, as avaliações e, em particular, o CIS Assessment, podem ser usados em: treinamentos, integração de equipes, gestão de conflitos, retenção de talentos e nos planos de desenvolvimento individual (PDI) e de lideranças (PDL). Além disso, o software identifica potenciais competências, gaps de comportamento, além de indicar o que o colaborador precisa aprimorar, de maneira *real*, para atuar em determinada função. A seguir, alguns exemplos de aplicação:

Contratação de pessoas
- Arquitetura de cargos × perfis.
- Engenharia da função e processo seletivo.

Gestão
- Gestão de equipes (comunicação eficaz).
- Gestão de conflitos.
- Coaching (identificação de gaps e potencialidades).

Educação e desenvolvimento
- Treinamento.
- Integração de equipes.
- Planos de desenvolvimento individual e de líderes (PDI e PDL).

Retenção de talentos
- Identificação de talentos (orientação de carreira).
- Mapeamento de equipes (DNA organizacional).
- Realocação/desligamento.

A ideia, como dizemos em nossos cursos e seminários, é "dar a João o que é de João, e a Maria o que de Maria". Ou seja, colocar a pessoa certa no lugar certo. Nesse sentido a análise de perfil é surpreendente, pois com a identificação de potenciais evita-se o dilema de tentar fazer um colaborador aprender algo para o que não tem a menor vocação, muitas vezes abrindo mão de competências que já tem desenvolvidas e que são atributos do seu próprio perfil.

Dessa forma, tanto a análise de perfil quanto os relatórios gerados pelo CIS Assessment nos ajudam a entender que não existe perfil bom ou ruim, nem lugar certo ou errado, como já dissemos em outros capítulos. O que existe, e o que faz a diferença, é o perfil adequado ou não para determinado cargo ou função. O termo que usamos nessas situações é "nível de adequação", isto é, avalia-se o quanto o perfil idealizado pelos gestores é aderente a determinado cargo.

É claro que, ao contratar uma pessoa, devemos também levar em consideração suas vivências, experiências, conhecimento técnico e acadêmico, maturidade etc. Então, visto que sabemos que 80% dos insucessos de uma contratação se dão em decorrência de comportamentos inadequados, é fundamental usar essa informação a nosso favor e prestar muita atenção a esse *detalhe* nas contratações.

Nossa recomendação é: com base na cultura e na necessidade do cargo, faça uma correta avaliação de perfil e do comportamento do seu colaborador, e explore o que ele tem de melhor, aprimorando lacunas e pontos fracos. Em nossos cursos de Formação de Analista Comportamental CIS Assessment oferecemos um método consistente que ajuda tanto o profissional de RH quanto o diretor da empresa ou executivo a terem total clareza de como as contratações devem ser feitas para serem as mais acertadas possíveis. Para saber mais, acesse <www.febracis.com.br/cursos/cis-assessment>.

OCTÓGONO DE TALENTOS

Um dos diferenciais do CIS Assessment é a possibilidade de fazer o mapeamento dos setores/áreas ou de toda a organização, de maneira que em apenas uma imagem seja possível ter uma leitura completa dos pontos fortes, dos pontos de melhoria, da relação entre as pessoas, de acordo com os seus perfis, e das possibilidades de conflito. Veja a imagem a seguir.

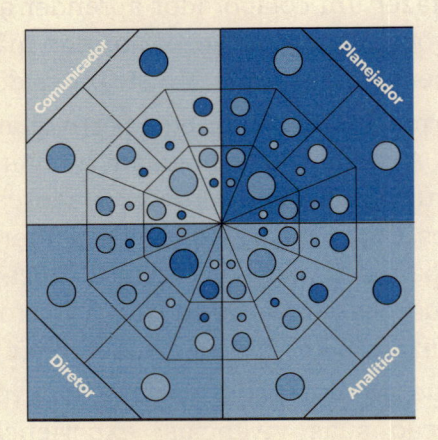

Além de permitir identificar se a organização possui mais ou menos pessoas de comando, de planejamento, de relacionamento e de análise crítica, o Octógono de Talentos trabalha com 40 combinações possíveis de perfis agrupadas em oito talentos.

Os talentos

- **Direção** – talento atribuído a pessoas diretas, que possuem comando, pulso firme e que são competitivas e automotivadas. Têm como pontos fortes: iniciativa própria e persistência; são solucionadoras de problemas e buscam resultados incessantemente.

- **Inspiração** – talento atribuído a pessoas otimistas, que possuem entusiasmo e energia. São rápidas em qualquer processo de mudança, procuram ser referência para os outros e têm como principal ponto forte a capacidade de influenciar. Também buscam resultados por meio de pessoas.

- **Comunicação** – talento atribuído a pessoas sociáveis e comunicativas, que possuem habilidades para lidar e convencer os outros sobre o seu ponto de vista. Têm como pontos fortes o entusiasmo e a confiança. Sempre querem promover suas ideias.

▶ **Relacionamento** – talento atribuído a pessoas cooperativas, amigáveis, que gostam de interagir com outras pessoas e possuem sensibilidade aos sentimentos alheios. São participativas, conciliadoras e evitam conflitos. Têm como ponto forte a condução para um ambiente harmônico. Buscam aceitação.

▶ **Planejamento** – talento atribuído a pessoas ponderadas e pacientes. São metódicas, estruturadas e planejadas. Possuem excelente capacidade de acompanhamento (*folllow up*), com foco em seguir tudo o que foi planejado. Trabalham para harmonizar as relações.

▶ **Técnica** – talento atribuído a pessoas reservadas, meticulosas e conservadoras. São também realistas e especialistas no que fazem. Possuem bastante cautela, mas, em contrapartida, têm muito comprometimento com a entrega e se responsabilizam pelos resultados. A excelência é uma meta constante.

▶ **Análise** – talento atribuído a pessoas mais formais, organizadas e disciplinadas. Possuem forte senso para uma análise crítica, são detalhistas, rotineiras e sistematizam tudo o que fazem. Têm como pontos fortes a exatidão e a exigência pelo alto padrão de qualidade. Buscam precisão e assertividade.

▶ **Execução** – talento atribuído a pessoas intensas e fazedoras, que possuem excelente capacidade para desempenhar atividades das mais diversas. Usam a lógica a seu favor, procurando fundamentar ao máximo suas decisões. São arrojadas, objetivas e trabalham bem sob pressão. Buscam o controle das ações.

Confira na figura anterior um exemplo do Octógono de Talentos. Acesse o site **www.cisassessment.com/decifrepessoas** e entenda melhor como a aplicação dessa ferramenta é fundamental para a sua empresa expandir os resultados que vem obtendo. O fator determinante para o sucesso de qualquer organização é o equilíbrio desses oito talentos. Já ouviu a expressão "muito cacique para pouco índio"? Em uma empresa em que essa frase se aplica, provavelmente haverá mais pessoas com talento de *direção* e *inspiração* e quase ninguém voltado para a *técnica* e *execução*. Por outro lado, imagine estar em um lugar onde apenas há indivíduos de *planejamento* e *análise*, mas falta o perfil de *relacionamento* e *execução*. Neste lugar, provavelmente nada sai do papel, ou as coisas demoram muito mais tempo para acontecer. Hoje, você sabe sinceramente qual o retrato de talentos da sua empresa? Você se identificou com alguma das situações mencionadas? Acesse **www.cisassessment.com/decifrepessoas** e saiba como levar o mapeamento de perfis para a sua empresa.

AVALIAÇÃO 360°

Outro diferencial do software CIS Assessment é a possibilidade de gerar gráficos de Percepção (como as pessoas enxergam você) e de Exigência (o que as pessoas esperam de você), que fazem parte da Avaliação 360°. Nessa modalidade, o pesquisado pode indicar pessoas de seu convívio – profissional, social ou familiar – para contribuírem com o seu autoconhecimento.

O cruzamento das informações geradas por todos esses gráficos dá uma dimensão real e o mais ampla possível sobre sua posição tanto na empresa como nos círculos familiar e social. Você (ou quem responder o questionário) passa a ter informações sobre:

1. Como é visto, isto é, qual a sua **essência (perfil natural)**
2. Sua percepção sobre o que os outros exigem de você, ou seja, como você **adapta** o seu perfil **(perfil adaptado)**
3. Como os outros de fato o enxergam, isto é, a ótica de quem convive com você sobre sua personalidade **(perfil aparente)**
4. Como os outros gostariam que você se comportasse, ou seja, a real exigência das pessoas ao seu redor **(perfil exigido)**.

Com essas informações, você conseguirá dimensionar o quanto está na sua zona de conforto, talvez sem a adaptação necessária para gerar resultados. Poderá também analisar o que vem sendo feito com naturalidade, de acordo com o seu perfil, sem a necessidade de demandar adaptação de estilo; e ainda avaliar quais comportamentos têm sido estressantes e vêm causando desgaste de energia. Por fim, será possível saber o que deve ser evitado e o que precisará ser fortalecido.

Se você tivesse hoje todas essas informações, como seria sua vida daqui para a frente?

* * *

FLEXIBILIDADE – O SEGREDO DO SUCESSO

Já falamos da necessidade de adaptação de perfil para que seja possível obter tanto efetividade na comunicação quanto grandes resultados. Para obter flexibilidade, o primeiro passo é saber quem você é: seu perfil comportamental, tipo psicológico, seus valores, suas competências, pontos fortes e fracos, motivadores e medos. Tudo isso revela a sua identidade e traz a consciência do seu ser. É somente a partir dessa consciência que se torna possível a adaptação do comportamento, aceitando, entendendo e, principalmente, valorizando o que há de melhor em você.

Se o seu maior talento é para a análise, explore e desenvolva esse talento. Se os seus maiores dons estão relacionados a lidar com pessoas, utilize isso. Se o seu maior potencial é empreender, trabalhe essa característica. Muitas pessoas passam a vida inteira tentando ser o que não são, e, como já vimos, isso demanda um esforço muito grande.

No entanto, somente usar os seus dons e talentos não é uma garantia de sucesso. Mesmo que você atue em uma função que exija exatamente as características do seu perfil na maior parte do tempo, haverá momentos em que será necessário flexibilizar-se, tanto nas atividades quanto nas relações interpessoais.

E a melhor forma de descobrir exatamente o *que* e *quanto* ajustar é observar o feedback das pessoas que convivem com você, por meio da Percepção e da Exigência. Isso não quer dizer que você precisará mudar drasticamente seu comportamento para atender às expectativas do meio. Observe o feedback, analise o que faz sentido para você e seus objetivos e descarte, com sabedoria, o que não faz. Você é a única pessoa que pode dizer se aquela adaptação é possível e o quanto ela vale a pena.

Flexibilidade = Decisão

Como isso funciona na prática

Imagine que você seja *Dominante* (veja a Teoria DISC) e precise debater um assunto importante com alguém que é estável. A sua tendência natural, devido ao seu perfil, é querer resolver o assunto o mais rápido possível, de maneira direta e objetiva. Porém, sabendo que a outra pessoa é *Estável* (perfil DISC), você poderá flexibilizar o seu comportamento para ter uma reunião mais proveitosa, explicando o contexto com calma, criando uma relação de confiança mútua e dando tempo para que a pessoa decida o que fazer. Isso vale para todo tipo de relação: marido e mulher, líder e colaborador, pai e filho etc.

Talvez você esteja pensando: "Isso dá muito trabalho!" De fato, ser flexível dá trabalho, exige esforço, empatia, disposição, amor. Porém, não se flexibilizar é uma escolha que pode trazer sérias consequências, tanto no âmbito pessoal quanto no profissional.

Agora, imagine um empresário *Influente* (perfil DISC), extremamente criativo, inspirador e que consegue cativar a equipe, mas que não dá muita atenção aos detalhes e às formalidades. No entanto, esse empresário possui um gerente *Conforme* (perfil DISC) na equipe, e que justamente está atento a todo tipo de minúcia, normas e procedimentos. Só que o empresário não consegue flexibilizar-se o bastante para ouvir o seu gerente e valorizar o que ele tem a dizer. Essa incapacidade pode levar a empresa à ruína, já que os problemas e detalhes apresentados pelo gerente *Conforme* não são sequer notados pelo empresário. Sem se dar conta dessas demandas, ele nunca poderá solucioná-las.

Muitas vezes, não é necessário fazer grandes mudanças, mesmo quando parece que os outros desejam que você seja completamente diferente. Em diversos casos, pequenas ações ou ajustes na comunicação são suficientes para que as pessoas que o cercam percebam a sua flexibilidade. Às vezes, o simples fato de olhar no olho daquela pessoa *Estável* já é o bastante para que ela se sinta mais segura ao seu lado. Um simples elogio pode mudar da água para o vinho a sua relação com uma pessoa *Influente*. Confiar uma análise importante ao *Conforme*, valorizando sua capacidade crítica, talvez seja o bastante para trazê-lo para perto de você. O que falta na sua relação com o *Dominante* talvez seja apenas dar a ele o poder de escolha – mesmo que seja uma escolha simples e limitada a poucas opções.

Você agora tem o conhecimento necessário para realizar essa flexibilização. Você pode engavetar este livro e deixar que todo esse conhecimento se perca na sua memória. Contudo, o nosso convite é para que, a partir de hoje, você coloque esse conhecimento em prática, decifrando e influenciando as pessoas para aprimorar relacionamentos, diluir crises, descobrir novos talentos e motivar todos à sua volta. Se você escolher a segunda alternativa, estamos certos de que resultados extraordinários virão em todas as áreas da sua vida.

O melhor de tudo é que a decisão está em suas mãos.

Muitas vezes, não é necessário fazer grandes mudanças, mesmo quando parece que os outros desejam que você seja completamente diferente. Em diversos casos, pequenas ações ou ajustes na comunicação são suficientes para que as pessoas que o cercam percebam a sua flexibilidade.

REFERÊNCIAS BIBLIOGRÁFICAS

ADLER, Alfred. *A ciência da natureza humana*. São Paulo: Editora Nacional, 1945.

AMEN, Daniel G. M.d. *Transforme seu cérebro. Transforme sua vida*. São Paulo: Mercuryo, 2000.

GALLWEY, W. Timothy. *The inner game of tennis*. Nova York: Random House, 1997.

GOPNIK, Alison. *O que pensam os bebês?* Palestra no TED. Disponível em: <https://www.ted.com/talks/alison_gopnik_what_do_babies_think?language=pt-br>. Acesso em: 20 jul. 2018.

JUNG, Carl Gustav. *Tipos Psicológicos*. 7ª ed. Petrópolis: Vozes, 2013.

_____. *O eu e o inconsciente*. Petrópolis: Vozes, 1971.

MARSTON, Willian M. *Emotions of normal people*. Nova York: Scholar's Choice, 2015.

MARSTON, William Moulton; KING C. Daly; MARSTON, Elizabeth Holloway. *Integrative Psychology: A Study of Unit Response*. Routledge, 1999.

SPRANGER, Eduard. *Types of men*. Nova York: M. Niemeyer, 1928.

VIEIRA, Paulo. *Poder e alta performance*. São Paulo: Gente, 2017.

Este livro foi impresso pela Edições Loyola em papel pólen natural 70 g/m² em outubro de 2022.